CLAUDIA ET LA NOUVELLE VENUE

Quatre gardiennes fondent leur club

Titres de la collection

1. Christine a une idée géniale
2. De mystérieux appels anonymes
3. Le problème de Sophie
4. Bien joué Anne-Marie !
5. Diane et le trio terrible
6. Christine et le grand jour
7. Cette peste de Josée
8. Les amours de Sophie
9. Diane et le fantôme
10. Un amoureux pour Anne-Marie
11. Christine chez les snobs
12. Claudia et la nouvelle venue

12

CLAUDIA ET LA NOUVELLE VENUE

Quatre gardiennes fondent leur club

Ann M. Martin

Adapté de l'américain par
Sylvie Prieur

Données de catalogage avant publication (Canada)

Martin, Ann M., 1955-

Claudia et la nouvelle venue

(Les baby-sitters ; 12)
Traduction de : Claudia and the new girl.

ISBN 2-7625-6450-6

I. Titre
II. Collection : Martin, Ann M., 1955 - Les baby-sitters ; 12.
PZ23.M37Cl 1990 j813'.54 C90-096614-9

Conception graphique de la couverture : Jocelyn Veillette

Claudia and the New Girl

Dépôts légaux : 4e trimestre 1990
Bibliothèque nationale du Québec
Bibliothèque nationale du Canada

ISBN : 2-7625-6450-6 Imprimé au Canada

Photocomposition : Deval Studiolitho Inc.

LES ÉDITIONS HÉRITAGE INC.
300, Arran, Saint-Lambert, Québec J4R 1K5
(514) 875-0327

Je dédie ce livre aux fidèles lecteurs et lectrices de la collection Le Club des baby-sitters.

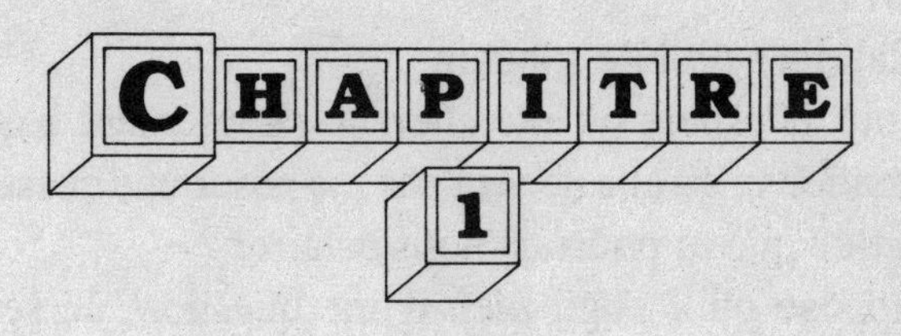

La mouche se dépose d'abord sur la tête d'Alexis Bernier et s'y promène pendant toute une minute. Elle va ensuite explorer le soulier droit d'Arianne Dufort mais doit battre en retraite quand Arianne utilise son soulier pour se gratter le mollet gauche. Après quelques secondes de vol plané, elle atterrit sur la pointe du crayon de Pierre Blais mais celui-ci la chasse immédiatement d'un petit coup sec de son crayon.

Je me demande si cette mouche est un mâle ou une femelle et si les mouches ont parfois des réunions de famille. Puis, je me demande si la mouche trouve le cours de français aussi ennuyant que je le trouve. Je dois dire cependant, à la défense de Mme Hétu, notre enseignante, qu'elle essaie de rendre son cours intéressant. En effet, elle a sélectionné des livres qui ont des titres amusants et qui de plus ont le mérite de ne pas être trop longs.

Mais voyez-vous, peu m'importe car je déteste lire, sauf les romans à énigmes, que je trouve divertissants car ils me permettent de jouer au détective. Je crois que je ferais une excellente Miss Marple.

Mme Hétu parle de *La fille à la mini-moto* et de *Des bleus et des bosses*. Bon, je l'avoue, je n'ai lu aucun des deux livres.

— Claudia ? dit-elle soudain.

— Oui ? (J'espère qu'elle cherche simplement à attirer mon attention et qu'elle ne veut pas me poser une question !)

— Est-ce que tu pourrais nous éclairer ?

Je suppose qu'il s'agit bien d'une question. Je sens le rouge me monter aux joues et je baisse la tête, faisant mine d'examiner mon cahier de notes dans lequel j'étais en train de crayonner des croquis de certains des enfants que je garde.

— Heu... À quel sujet ?

— Claudia Kishi, soupire Mme Hétu. (Ce n'est pas bon signe. Mme Hétu utilise rarement nos noms de famille.) Serait-ce trop te demander de prêter un peu d'attention au cours ?

— Excusez-moi, dis-je à voix basse.

Mme Hétu secoue tristement la tête. J'aurais envie d'ajouter : « Je ne voulais pas gâcher votre journée », car elle a exactement l'air de quelqu'un dont la journée vient d'être gâchée. Et c'est ma faute ! Sans en être fière, j'ai l'impression d'avoir beaucoup de pouvoir. C'est qu'il faut savoir s'y prendre pour gâcher la journée d'un adulte, comme ça, d'un seul coup !

— Bon, fermez vos livres et prenez une feuille de papier, annonce subitement Mme Hétu qui a décidé de contre-attaquer. Nous allons faire un contrôle d'orthographe (c'est ainsi qu'elle nomme un examen surprise).

Tous les élèves se mettent à grogner et quelques-uns me regardent d'un air meurtrier, comme si j'étais responsable de la situation. Je suis prête à parier que je n'étais pas la seule à observer cette mouche et à gribouiller dans mon cahier !

— Les mots à orthographier sont tirés des textes que vous deviez lire hier soir, poursuit Mme Hétu. Le premier est « pharaon ».

J'attends que Mme Hétu utilise ce mot dans une phrase (même si ça ne m'aide pas tellement plus). Elle procède toujours ainsi en mettant l'accent sur certains mots.

— *Les élèves étudient l'histoire fabuleuse du pharaon*, prononce-t-elle lentement.

Ha, ha ! me dis-je. Mme Hétu nous donne des indices. Elle a utilisé les mots « fabuleuse » et « pharaon » dans la même phrase. Ils doivent donc commencer par la même lettre. Je suis peut-être un gros zéro en orthographe, mais je sais que le mot « fabuleuse » commence par un « f ». Très lentement, je commence à écrire « f-a-r-a-o-n ». Puis, après quelques secondes de réflexion, j'ajoute un « h » entre le « a » et le « o ». Voilà ! « farahon ». Je suis fière d'avoir pensé à ajouter une de ces lettres silencieuses. Qui a bien pu les inventer de toute façon ? Elles ne servent à rien.

— *Institution*, poursuit Mme Hétu.

C'est à peine si je l'entends. Dehors, j'aperçois un avion qui passe au-dessus des maisons et je me mets à penser aux passagers en route vers une destination inconnue. Peut-être s'en vont-ils en Europe ! J'aimerais bien visiter l'Europe un jour. Soudain, je me rappelle où je suis et j'écris « institu-çion » en toute hâte.

— *Trimestriel*.

Avant que Mme Hétu ait eu le temps d'employer « trimestriel » dans une phrase, la porte de la classe s'ouvre. Tout le monde, y compris Mme Hétu, se retourne. En apercevant Mlle Dionne, la secrétaire du directeur de l'école, notre curiosité est piquée. En effet, la secrétaire ne se déplace que pour des cas très spéciaux. Autrement, le directeur charge un élève de porter des messages dans les classes.

Mme Hétu s'empresse d'aller rejoindre Mlle Dionne et les deux s'entretiennent ensemble à voix basse pendant quelques secondes. Puis, Mlle Dionne fait signe à quelqu'un d'entrer.

— Bonjour, Alice, dit gentiment Mme Hétu. Nous sommes heureux de t'accueillir dans notre classe.

Mlle Dionne remet quelques papiers à Mme Hétu et se retire.

Une nouvelle ! Nous avons une nouvelle élève dans la classe ! J'ai toujours trouvé que les nouveaux, tout particulièrement ceux qui arrivent au milieu de l'année scolaire sont extrêmement fascinants. Alors que dire de ceux qui arrivent au beau milieu de la journée !

Mais celle-ci est vraiment spéciale : elle est habillée comme une hippie des années soixante. Elle porte une jolie jupe fleurie très longue qui cache presque ses souliers. En regardant plus attentivement, je m'aperçois que ce ne sont pas des souliers mais plutôt des bottes d'alpiniste. Elle a une blouse très ample, brodée de fleurs roses et une multitude de bracelets en argent aux poignets. Ses cheveux blonds, qui sont presque aussi longs que ceux de mon amie Diane, sont ramenés en une grosse natte dans son dos. Mais ce qu'il y a de plus impressionnant, c'est qu'elle a trois boucles d'oreille, toutes différentes, dans chaque oreille !

Ça alors ! Elle en a de la chance. Mes parents ne me laisseraient jamais avoir six trous dans les oreilles.

J'en aurai des choses à raconter aux autres membres du Club des baby-sitters cet après-midi.

La nouvelle, qui a l'air fragile et délicate, fait face à la classe.

— Les enfants, voici Alice Riopelle, dit Mme Hétu. Elle vient tout juste d'arriver à Nouville et elle fera partie de la classe. J'espère que vous lui réserverez un accueil chaleureux.

Alice se dirige vers le seul pupitre inoccupé de la classe. Quelle chance ! Il se trouve que ce pupitre est juste à côté du mien. Un frisson me secoue. Une nouvelle, et qui plus est, une nouvelle complètement différente ! Soudain, je trouve le cours de français très intéressant.

Le contrôle d'orthographe continue; j'ai beau essayer de me concentrer, mon regard revient toujours se fixer sur Alice Riopelle. Pas sur sa feuille car je ne tricherais jamais. J'observe simplement Alice. Je ne reviens pas de sa tenue ni de ses six boucles d'oreille.

Mais ce n'est pas tout. Il y aussi son nom de famille qui m'intrigue. Riopelle. Je me demande si elle a des liens de parenté avec le célèbre peintre Jean-Paul Riopelle. D'accord, je suis loin d'être première de classe, mais je suis une artiste talentueuse et j'espère qu'un jour mes oeuvres seront aussi recherchées que celles des grands peintres.

Juste après avoir écrit le mot « m-é-d-i-q-u-a-l », je me tourne de nouveau vers Alice et je m'aperçois qu'elle m'observe elle aussi. Je lui souris, mais elle détourne son regard.

Une fois le contrôle d'orthographe terminé, Mme Hétu ramasse les feuilles puis s'adresse à Alice.

— Alice, nous étudions actuellement *La fille à la minimoto* et *Des bleus et des bosses*. As-tu lu l'un d'eux ?

— Oui, répond Alice.

— Lequel ?

— Les deux. J'ai étudié ces romans l'année dernière.

— Je vois, dit Mme Hétu, plutôt impressionnée. Et as-tu lu *Bilbo le hobbit* et *Le seigneur des anneaux* ?

On voit qu'elle songe déjà à faire passer Alice dans un cours de français plus avancé.

— Oui, je les ai lus cet été. Mais ça ne me dérange pas de les relire.

Le cours se termine enfin et Alice m'aborde.

— Euh... Pourrais-tu m'indiquer où se trouve la classe 216 ? me demande Alice.

On dirait que ça lui coûte de m'adresser la parole. J'ai certainement rencontré des personnes plus amicales.

— Bien sûr, dis-je. Suis-moi, je m'en vais dans cette direction moi aussi.

— Oh, d'accord...Merci.

Nous nous frayons un chemin à travers le corridor bondé et nous empruntons l'escalier.

— Je m'appelle Claudia, Claudia Kishi, dis-je. Euh, je sais que ça peut te sembler bizarre, mais je me demandais si tu as des liens de parenté avec Jean-Paul Riopelle ?

— Non, répond Alice. Mais j'aimerais bien, par exemple, ajoute-t-elle après quelques secondes d'hésitation.

Ça alors ! Elle sait de qui je parle !

— Moi aussi, dis-je.

— Aimes-tu ses oeuvres ? demande Alice en me regardant furtivement.

— Si je les aime ? J'adore ce qu'il fait. Je suis toutes sortes de cours d'arts plastiques. Je veux devenir peintre, ou peut-être sculpteur. Ou peut-être même potier.

— C'est vrai ? demande Alice. Moi aussi. En fait je me destine à la sculpture.

Elle est sur le point de rajouter quelque chose mais la cloche sonne et nous devons rentrer dans nos classes respectives. Juste avant d'entrer dans la mienne, je me retourne et je regarde une fois de plus Alice qui s'éloigne d'un pas rapide. Je crois que quelqu'un de très...différent vient de faire irruption dans ma vie.

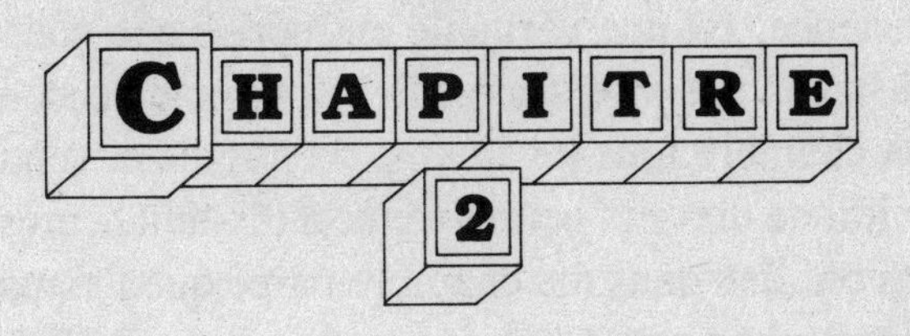

Je ne revois pas Alice de la journée, mais ça n'a rien de surprenant car il ne restait que deux périodes et j'ai un cours de rattrapage en maths et une heure d'étude au centre de ressources. Il est bien évident qu'une fille intelligente comme Alice n'a pas besoin de cours de rattrapage ni de séances au centre de ressources.

Dommage. J'aurais bien aimé la revoir. Mais j'oublie vite ma déception en pensant que nous avons une réunion du Club des baby-sitters cet après-midi. J'ai toujours hâte à ces réunions. Vous vous souvenez que j'ai mentionné mon amie Diane. Diane Dubreuil, celle qui a des cheveux encore plus longs et plus blonds que ceux d'Alice. Eh bien, elle fait partie du Club, tout comme mes autres amies Christine Thomas, Anne-Marie Lapierre et Sophie Ménard. Le Club est vraiment extra. Nous nous réunissons trois fois par semaine afin de permettre aux gens de Nouville de nous téléphoner pour réserver nos services de gardiennes. Les affaires marchent très bien et nous gagnons beaucoup d'argent. Ce n'est pas à dédaigner puisque je dois m'acheter des fournitures pour mes travaux d'arts plastiques, du maquillage, des bijoux et toutes sortes d'autres choses.

Comme vous pouvez le constater, le Club, qui a déjà un an d'existence, est une véritable entreprise que nous dirigeons de façon très professionnelle. Nous nous rencontrons dans ma chambre tous les lundis, mercredis et vendredis après-midi, de dix-sept heures trente à dix-huit heures. Les réunions ont lieu dans ma chambre parce que j'ai ma propre ligne téléphonique. C'est pour cette raison d'ailleurs que je suis la vice-présidente du Club. Nos clients savent qu'ils peuvent nous appeler pendant ces réunions et ils nous disent alors quand ils ont besoin de nos services. Avec cinq gardiennes en permanence, ils sont presque assurés d'en trouver une en ne faisant qu'un seul appel et ils apprécient cela. Que se passe-t-il si deux ou trois d'entre nous sont disponibles pour prendre le même engagement ? À qui la garde est-elle confiée ? Heureusement, nous sommes tellement occupées que cela ne se produit que très rarement. Mais quand c'est le cas, nous sommes assez gentilles pour nous dire des choses du genre : « J'ai déjà deux engagements cette semaine, prends-le Sophie », ou « Prends cet engagement, Christine. David est ton petit frère. »

Anne-Marie, la secrétaire du Club, consigne tous nos engagements dans notre Agenda. En fait, elle est responsable de l'Agenda (sauf pour ce qui est de la partie réservée à la comptabilité). Nous y inscrivons les adresses et les numéros de téléphone de nos clients, des renseignements sur les enfants que nous gardons, nos gardes, et d'autres activités comme mes cours de sculpture, par exemple.

Sophie est la trésorière. C'est elle qui comptabilise l'argent que nous gagnons et ce que nous avons dans la petite caisse, c'est-à-dire la somme de nos cotisations hebdomadaires. Ces cotisations servent à payer les dépenses d'exploitation du Club. Par exemple, nous payons Charles, le grand frère de Christine, pour qu'il la conduise aux réunions et la ramène chez elle. Ce n'est qu'équitable puisque Christine, notre présidente et la fondatrice du Club, a dû déménager à l'autre bout de la ville au cours de l'été. L'argent de la petite caisse sert également à acheter des cahiers à colorier et d'autres fournitures pour nos Trousses à surprises. (C'est Christine qui a eu l'idée de ces Trousses à surprises. Il s'agit de boîtes de carton que nous remplissons de livres, de jeux et de jouets qui nous appartenaient lorsque nous étions plus jeunes, et de cahiers d'activités et de crayons. Nous apportons ces Trousses à surprises de temps à autre quand nous allons garder et chaque fois, nous remportons un succès fou.)

Diane est notre suppléante officielle. Un peu à la manière d'un professeur suppléant, elle peut assumer les fonctions de n'importe quelle autre membre qui, pour une raison ou pour une autre, ne peut assister à une réunion. Nous avons également deux membres associés, Louis Brunet et Chantal Chrétien. Nous avons recours à eux quand nous sommes toutes occupées; ainsi, nous n'avons pas à refuser un engagement par manque de disponibilité. Enfin, en plus de l'Agenda, nous avons aussi un Journal de bord. Christine insiste pour que nous fassions un compte rendu de chaque engagement et pour que nous lisions le Journal une fois par semaine. Ainsi, nous nous tenons au courant de ce qui s'est passé pendant les gardes de chacune et cela s'avère souvent très utile. (Mais si vous voulez mon opinion, je trouve extrêmement ennuyant de devoir lire ce Journal toutes les semaines.)

Après la classe, aujourd'hui, je cours jusqu'à la maison et je fais ce qu'il me reste de devoirs. (J'en ai fait la majeure partie au centre de ressources). Ensuite, je prends *La fille à la mini-moto*. Il serait temps de le lire, surtout si Mme Hétu décide de procéder à d'autres petits tests éclairs.

Après quelques minutes de lecture, je dois convenir que l'histoire est captivante après tout. À dix-sept heures quinze, je descends à la cuisine retrouver Mimi, ma grand-mère, et attendre les membres du Club des baby-sitters.

Mimi est en train de préparer le souper. Elle a subi une attaque d'apoplexie l'été dernier, mais fort heureusement, elle est beaucoup mieux. Cependant, elle doit maintenant utiliser sa main gauche alors qu'elle était droitière et elle a un petit peu de difficulté à parler. Mais elle s'en tire très bien si l'on considère que sa langue maternelle est le japonais. De toute façon, elle aime se sentir utile et elle tient absolument à préparer le souper quand mes parents travaillent et à effectuer des petites tâches ménagères.

— Ah, bonjour ma Claudia ! Tu étudies fort ?

— Oui, dis-je.

— Que dirais-tu d'une bonne tasse de thé ? demande Mimi.

— Oh, je n'ai pas le temps, Mimi. Les autres membres du Club des baby-sitters vont arriver d'une minute à l'autre.

— Ah, je vois. (C'est ce que Mimi dit maintenant quand elle ne trouve pas les mots pour exprimer sa pensée.)

— Mimi, dis-je en tirant la planche à découper vers moi et en commençant à peler une carotte pour la salade, il y a une nouvelle à l'école. Elle s'appelle Alice Riopelle et c'est une artiste comme moi. Nous avons seulement échangé quelques mots aujourd'hui, mais déjà j'ai l'impression que nous allons devenir amies. C'est étrange, n'est-ce pas ?

— Cela arrive parfois. C'est ce qui s'est produit quand j'ai rencontré ton grand-père. Au bout d'une minute, je savais que nous allions nous aimer, nous marier, avoir des enfants.

— Vraiment ? dis-je, stupéfaite, en pensant qu'une minute c'est bien peu pour déterminer le cours de toute une vie.

La sonnette retentit à ce moment. C'est probablement Christine. Elle arrive souvent plus tôt ou plus tard que les autres depuis qu'elle est à la merci de son frère.

C'est bien Christine. Et elle entre avant même que je sois rendue à la porte.

— Salut, Claudia ! lance-t-elle.

Elle a l'air de très bonne humeur, mais je souhaiterais pour la millionième fois qu'elle fasse quelque chose au sujet de ses vêtements et de ses cheveux. Christine est jolie, mais elle ne se donne pas la peine de se mettre en valeur. Elle porte constamment le même « uniforme » : des jeans, un col roulé sous un gros chandail, et des espadrilles. Quant à ses cheveux, elle les brosse et c'est tout. Christine et moi, c'est vraiment le jour et la nuit. Aujourd'hui, par exemple, je porte une mini-robe de coton rose, des collants blancs et des chaussons de ballet noirs. J'ai ramené tous mes cheveux d'un seul côté et je les ai attachés avec un gros ruban rose. L'oreille qui est découverte arbore une grosse boucle d'oreille en forme de palmier. (Christine ne porte jamais de bijoux.)

Diane, Anne-Marie et Sophie arrivent quelques minutes plus tard. En fait, vous devez vous en douter, nous sommes toutes différentes. Sophie me ressemble un peu. Elle porte des vêtements à la mode et elle fait toutes sortes d'expériences avec ses cheveux. Mais disons qu'elle n'est pas aussi excentrique que moi. Toutefois, je remarque qu'aujourd'hui elle a du vernis à ongles jaune sur lequel elle a collé de petites pastilles noires.

Anne-Marie, qui est timide et effacée, s'habille plutôt comme Christine. Mais tout espoir n'est pas perdu car Anne-Marie commence à soigner davantage sa tenue vestimentaire. Pour ce qui est de Diane, je la classe entre Sophie et moi et Anne-Marie et Christine. Elle a un genre bien particulier et porte des tenues décontractées qui ont quand même un certain chic.

Nous montons nous enfermer dans ma chambre et pendant que tout le monde s'installe, je sors un sac de croustilles d'une de mes cachettes de friandises et j'en passe à la ronde.

— Avez-vous vu la nouvelle à l'école ? Alice Riopelle ?

Mes amies secouent la tête mais s'abstiennent de passer des remarques désobligeantes car il n'y a pas si longtemps, Sophie et Diane étaient elles aussi de nouvelles venues. (Sophie vient de Toronto. Elle a déménagé à Nouville il y a environ un an, six mois avant Diane qui, elle, est originaire de Hull.)

Dring ! Dring ! Nous tendons toutes le bras vers le téléphone, mais c'est Christine qui décroche.

— Club des baby-sitters, bonjour ! dit-elle sur un ton sérieux. Oh ! Bonjour Mme Robitaille. Jeudi ? Bon, je vérifie et je vous rappelle. Au revoir.

— Mme Robitaille ! dis-je en gémissant dès que Christine a raccroché.

Voyez-vous, les Robitaille ont trois garçons et l'un d'eux, Jérôme, est enclin aux accidents. Lorsque vous gardez chez les Robitaille, il est certain que Jérôme trouvera le moyen de tomber de quelque chose, ou sur quelque chose ou dans quelque chose, s'il n'est pas coincé quelque part, ou s'il n'a encore rien brisé. Il est bien gentil, mais c'est une véritable tornade.

— Claudia, devine ! Tu es la seule qui est disponible jeudi, annonce Anne-Marie en pouffant de rire.

— Oh, non ! dis-je en me frappant le front de la paume de la main.

En réalité, ça ne me dérange pas autant que je veux le laisser croire. J'ai gardé Jérôme et ses frères à plusieurs reprises maintenant et j'avoue que j'ai un petit faible pour Jérôme.

La réunion continue, les clients téléphonent et nous prenons plusieurs engagements. Une réunion ordinaire quoi. Et j'en savoure chaque moment.

Voyez-vous, le Club des baby-sitters occupe une place très importante dans ma vie, presque aussi importante que les beaux-arts. Je ne sais pas ce que je ferais sans le Club...ou sans mes amies.

Je dois attendre jusqu'au cours de français pour revoir Alice Riopelle. Cette fois-ci, elle me salue d'un sourire. Malheureusement, lorsque la cloche sonne à la fin du cours, Mme Hétu demande à me voir et je ne peux pas sortir en même temps qu'Alice. Tant pis, ce sera pour un autre jour.

Après la classe, je me rends à l'un de mes deux cours d'arts plastiques. Le premier est un cours général où nous travaillons différentes matières. (C'est-à-dire que nous faisons de la sculpture, du dessin, de la peinture à l'huile, de l'aquarelle.) Actuellement, nous étudions la sculpture par modelage. Je vous avoue que ce n'est pas facile. Je suis meilleure en dessin et en peinture. Les fins de semaine, je prends des cours de poterie.

Le Centre des beaux-arts de Nouville étant à proximité de l'école, j'arrive toujours assez tôt et aujourd'hui, j'ai même devancé le professeur. Je vais chercher la pièce à laquelle je travaille et je m'apprête à en remodeler un élément quand quelqu'un me tape sur l'épaule.

— Alice ! dis-je en me retournant.

Elle est là, devant moi, vêtue d'une tunique indienne blanche, d'un blouson et d'une longue jupe en jean. Elle porte aussi ses bottes d'alpiniste. Elle a même un bandeau autour de la tête, comme une Indienne. Malheureusement, ses cheveux ne sont pas attachés, et je ne peux pas voir ses six boucles d'oreille.

— Bonjour, Claudia, répond-elle en fixant son regard grave sur moi. Quelle surprise !

— Tu es inscrite à ce cours toi aussi ? dis-je, bien que ma question soit superflue.

— Est-ce que c'est bien ? demande Alice.

— Oh, oui ! Tu devrais voir tout ce que nous faisons.

— Et l'enseignante ? Est-elle qualifiée ? Où a-t-elle étudié ? Est-ce qu'elle a déjà exposé ses oeuvres ?

— Euh...

Je me sens rougir. Naturellement que Mme Boulet est qualifiée. Si elle ne l'était pas, elle ne nous enseignerait pas, non ? Mais Alice ne me laisse même pas le temps de répondre. Elle observe attentivement ma sculpture qui représente une main. Si vous pensez que c'est facile de sculpter ou même de dessiner une main, détrompez-vous.

— Hé, Claudia, c'est brillant ! Génial ! s'écrie Alice en marchant autour de ma sculpture et en l'examinant sous tous les angles.

— Merci, dis-je. Mais ce n'est qu'une pièce d'exercice. Je fais des expériences, j'apprends différentes techniques.

— Eh bien, c'est tout de même brillant. Qu'est-ce que tu as fait d'autre ?

Je remarque qu'Alice tient un portfolio sous son bras.

— Veux-tu voir mon portfolio ? dis-je timidement.

Chaque fois que j'offre de montrer mon portfolio à quelqu'un, j'ai l'impression de me vanter, même si je ne suis pas certaine que mon travail soit si bien qu'on le dit. Lorsque les gens me disent que c'est très bon, je me demande toujours s'ils y connaissent quelque chose.

— J'aimerais bien, répond Alice.

Je vais donc chercher mon portfolio qui est rangé avec ceux des autres élèves, sur une tablette au fond de la classe, je le dépose sur la table à côté de ma sculpture et je l'ouvre.

Lentement, Alice étudie chacun des croquis et des dessins. Debout devant elle, j'épie ses réactions. Je me sens aussi nerveuse que si j'attendais l'évaluation d'un professeur.

Lorsqu'elle a terminé, Alice ferme le portfolio et me regarde de ses grands yeux bleus.

— Tu as énormément de talent, dit-elle très sérieusement. J'espère que tu en es consciente.

— Merci, dis-je en laissant échapper un soupir de soulagement. Je suis contente que ça te plaise. Tu me montres le tien ?

— Bien sûr, répond Alice en déposant son portfolio sur la table.

Je l'ouvre en m'interrogeant sur ce que j'y découvrirai. C'est fou ce que les oeuvres d'un artiste peuvent être révélatrices. Sa personnalité se reflète toujours dans les sujets choisis et dans la manière de les rendre.

En voyant le premier dessin d'Alice, j'ai le souffle coupé. C'est un portrait si réaliste qu'on dirait une photo.

— Ça alors ! Je n'en reviens pas.

— Ce n'est pas vraiment bon, déclare Alice en balayant le dessin d'un geste de la main. Attends de voir le prochain.

Effectivement, la pièce suivante est une aquarelle. Je ne sais pas ce qu'elle représente, mais je sais par contre que c'est extraordinairement bon.

— C'est ce qu'on appelle du nouvel art, me dit Alice, le plus sérieusement du monde.

Tout le reste du portfolio d'Alice est aussi impressionnant. Quand j'ai enfin terminé, mon coeur bat aussi vite que si j'avais couru le marathon. Quelle artiste !

— Depuis combien de temps étudies-tu ?

— Oh, depuis toujours. J'ai commencé à suivre des cours de dessin quand j'avais cinq ans.

Les élèves commencent alors à arriver et je leur présente Alice. Je me dis que c'est une bonne façon pour elle de connaître d'autres personnes de son âge, ici, à Nouville. Mais Alice ne semble pas s'intéresser aux autres élèves. Je remarque qu'elle regarde toujours la sculpture de celui ou celle que je lui présente plutôt que la personne elle-même. Isabelle Dubord, la deuxième meilleure élève de la classe (je suis la meilleure; du moins, je l'étais jusqu'à l'arrivée d'Alice), est la seule à qui elle accorde quelques secondes d'attention. Je montre ensuite à Alice où sont rangées les fournitures, puis Mme Boulet arrive juste au moment où nous nous assoyons.

Alice se lève d'un bond et je m'empresse de faire les présentations.

Mme Boulet a l'air tout aussi impressionnée que moi en regardant le portfolio d'Alice. Elle fronce les sourcils et murmure toutes sortes de commentaires en examinant les pièces une par une. Je sais que je devrais être jalouse, mais je ne le suis pas. Après tout, Alice étudie depuis qu'elle a cinq ans et de plus, elle m'a choisie comme amie. C'est à peine si elle a regardé les autres élèves et elle n'a adressé la parole qu'à Mme Boulet et à moi.

Lorsqu'elle a terminé de s'entretenir avec Alice, Mme Boulet se tourne vers la classe.

— Une minute d'attention s'il vous plaît. Une nouvelle galerie d'art va bientôt ouvrir ses portes à Nouville et pour célébrer cette occasion, les propriétaires ont eu l'idée d'organiser un concours de sculpture pour les élèves du Centre des beaux-arts. J'aimerais que vous y participiez tous. Vous pouvez commencer une nouvelle pièce pour l'exposition ou terminer celle à laquelle vous travaillez présentement. Même si vous ne gagnez pas de prix, votre sculpture sera exposée à la galerie d'art pendant la première semaine d'ouverture. Je crois que ce serait une merveilleuse expérience pour vous tous.

— Une exposition ! chuchote Alice tout excitée. Nous devons y participer !

— Est-ce qu'il y a un prix ? demande Isabelle Dubord.

— Le premier prix est une bourse de deux cent cinquante dollars, répond Mme Boulet.

Deux cent cinquante dollars ! Rien que de penser à tout ce que je pourrais m'acheter avec cet argent, j'ai le vertige.

— Quelle est la date limite pour présenter une sculpture à l'exposition ? demande Jean Deslauriers.

— Vous disposez de quatre semaines à partir d'aujourd'hui.

Quatre semaines seulement ! Adieu les deux cent cinquante dollars. Il m'est impossible de présenter quelque chose de vraiment bon en un mois. La main à laquelle je travaille n'est qu'un exercice, pas une oeuvre d'exposition. À la maison, je travaille à une sculpture de Mimi, et à une autre de Tigrou, le chat d'Anne-Marie. La sculpture de Mimi est beaucoup trop personnelle et celle de Tigrou n'est pas adéquate pour une exposition de cette envergure. Si je veux participer, je devrai recommencer à zéro et je ne dispose pas de suffisamment de temps pour entreprendre et terminer une nouvelle sculpture, suivre mes cours de poterie, maintenir des notes passables à l'école et garder.

— Je ne peux pas participer, dis-je plus tard pendant le cours à Alice.

— Et pourquoi donc ? demande-t-elle sans quitter des yeux la motte de glaise qu'elle a commencé à façonner.

Je lui explique alors toutes mes raisons.

— Tu dois participer, répond-elle. Ce serait un vrai péché si tu ne le faisais pas. Tu ne dois pas gaspiller ton talent. Je pourrai t'aider si tu le veux. Je parie que je pourrais t'enseigner un tas de choses. Et tu sais, je ne consacre mon temps qu'aux personnes qui ont du talent.

— Je ne peux simplement pas.

— Eh bien moi, je vais participer. Et même si c'est tout ce que je fais pendant les quatre prochaines semaines, je vais créer une oeuvre digne d'être exposée. Et je persiste à croire que tu le devrais toi aussi. N'oublie pas que je t'apporterai toute l'aide que tu voudras.

— Je... je vais y penser.

— Je savais bien que tu changerais d'idée, réplique Alice en souriant.

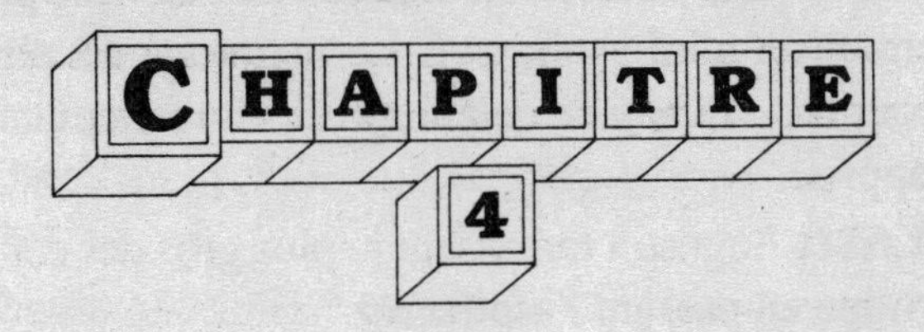

— Oups ! fait Jérôme Robitaille.

Je me cache le visage dans les mains, espérant que lorsque je rouvrirai les yeux, il n'y aura plus rien par terre. Mais non ! Le plancher de la cuisine est toujours recouvert d'un tapis de céréales au milieu duquel est assis Jérôme, la boîte renversée dans les mains.

C'est jeudi et mon supplice chez les Robitaille vient tout juste de commencer.

— J'ai faim, annonce Jérôme tout de suite après le départ de sa mère. Allons manger un petit quelque chose.

Trente secondes plus tard, j'ai des céréales jusqu'aux chevilles. Je regarde Stéphane, neuf ans, et Augustin, quatre ans, assis à la table. Je n'ai jamais de problème avec eux. Bien qu'ils ressemblent physiquement à Jérôme, la similitude s'arrête là. En effet, ce petit rouquin de sept ans au visage criblé de taches de rousseur est la seule tornade de la maison.

— Eh bien, nous allons nettoyer ce dégât, dis-je en soupirant.

En disant nous, j'entends Jérôme et moi, mais Stéphane et Augustin bondissent de leur chaise, disparaissent pendant quelques secondes et reviennent avec un balai, une pelle à poussière et un mini-aspirateur. Le nettoyage n'a plus de secret pour eux. J'imagine qu'à force de vivre avec Jérôme, ils ont appris.

Stéphane et Augustin ramassent le plus gros des céréales et je termine en passant l'aspirateur.

— Où est Jérôme ? dit soudain Stéphane.

— Oh, oh ! dis-je. Stéphane, va voir en haut avec Augustin. Je vais chercher en bas et dans la salle de jeu.

Les garçons s'élancent dans l'escalier tandis que je me précipite au salon, puis dans la salle à manger en criant : « Jérôme ! Jérôme ! ». Pas de réponse.

— Euh, Claudia ! Peux-tu venir ici une minute, appelle Stéphane.

Je monte à l'étage en courant et je trouve Stéphane et Augustin devant la porte fermée de la salle de bains.

— Jérôme est là ?

— Oui, répond Stéphane. Et la porte est verrouillée.

— Jérôme ! Déverrouille la porte tout de suite. Tu sais comment n'est-ce pas ?

— Oui, mais je ne peux pas, répond-il.

— Comment ça ?

— Je suis pris dans le bain !

— Comment peux-tu être pris dans le bain ?

— Ma main est coincée dans le trou d'écoulement. Je ne peux pas la sortir de là.

— Il essayait de récupérer sa petite auto Batman. Elle est partie avec l'eau du bain hier soir, m'informe Augustin.

— Bon, il ne manquait plus que ça, dis-je en levant les bras au ciel. Stéphane, où est la clé de la salle de bains ?

Il me répond par un haussement d'épaules.

— Tu ne le sais pas !

Les gardiennes pensent toujours à demander toutes sortes de renseignements aux parents. Par exemple, si leurs enfants ont des allergies, ou encore où est rangée la trousse de premiers soins. Mais il ne m'est jamais venu à l'idée de demander où se trouve la clé de la salle de bains.

— Je suis désolé, répond Stéphane, les yeux pleins d'eau.

— Oh, Stéphane ! C'est moi qui suis désolée. Je ne suis pas en colère contre toi. C'est juste que je ne sais pas comment aider Jérôme.

— Moi je sais ! s'exclame-t-il. C'est très simple. Tu n'as qu'à passer par la fenêtre.

— Mais Stéphane, nous sommes à l'étage !

— Je sais, mais tu montes sur la niche du chien et de là tu grimpes sur la remise à outils, puis sur le toit de la véranda. Et là, tu peux ouvrir la fenêtre de la salle de bains. Tu veux que je le fasse pour toi ?

— Non, merci. C'est mieux que je le fasse moi-même, dis-je résolument. Espérons que la fenêtre n'est pas verrouillée.

Cinq minutes plus tard, je suis en train d'escalader la remise à outils en remerciant le ciel d'avoir mis mes jeans ce matin.

— Bravo ! crie Augustin qui suit mes progrès d'en bas, en compagnie de Boule, le chien des Robitaille.

En équilibre sur le bord du toit, je m'approche lentement de la fenêtre de la salle de bains, priant silencieusement le ciel qu'elle ne soit pas verrouillée. Il semble que mes prières ont été entendues car elle est ouverte. Je me faufile à l'intérieur, puis j'ouvre la porte. Stéphane attend patiemment dans le corridor. Et maintenant ? me dis-je en regardant Jérôme qui a toujours la main coincée dans le tuyau d'écoulement. Soudain, il me vient une idée. Une idée géniale qui pour une fois me fait apprécier le Journal de bord du Club des baby-sitters. Je me rappelle avoir lu comment Louis Brunet et Anne-Marie avaient réussi à déprendre la main de Jérôme qui, cette fois-là, était coincée dans un pot de mayonnaise.

— Stéphane, va vite à la cuisine et rapporte-moi la margarine, dans la porte du frigo, dis-je. Et fais entrer Augustin, s'il te plaît.

— Tout de suite, répond Stéphane.

En moins de deux, il revient avec Augustin et le contenant de margarine. Sous le regard attentif de Stéphane et Augustin, j'enduis la main de Jérôme et le bord de l'orifice d'une bonne quantité de margarine.

— À présent, retire ta main très doucement, dis-je à Jérôme.

Et voilà, le tour est joué. Jérôme est enfin libéré de sa fâcheuse posture.

— Fiou ! dis-je.

— Fiou ! fait Jérôme.

— Fiou ! s'exclament Stéphane et Augustin.

— Que diriez-vous d'aller jouer dehors ?

Je ne sais pas pourquoi, mais la cour des Robitaille me semble plus sûre que l'intérieur de la maison. Donc, une fois la main de Jérôme dégraissée, nous sortons.

— Connaissez-vous Feu rouge-Feu vert ? dis-je lorsque les garçons n'arrivent pas à s'entendre sur un jeu.

Les petits secouent leur tête rousse en me regardant d'un air interrogateur.

— C'est facile. Venez, installez-vous ici.

Après les avoir alignés contre la clôture, je me rends à l'autre extrémité de la cour.

— Moi, je suis l'agent de la circulation, leur dis-je. Je me retourne, je ferme les yeux et je crie : « Feu vert ». Vous commencez alors à avancer lentement vers moi. Ensuite, je dis : « Feu rouge », je me retourne et j'ouvre les yeux. Celui qui bouge encore quand j'ouvre les yeux doit retourner à son point de départ. Le premier qui réussit à me rejoindre et à me toucher gagne et devient l'agent de circulation. D'accord ?

— D'accord ! répondent les enfants en choeur.

Je leur fais dos et je crie : « Feu vert ! » Je souris intérieurement en les entendant avancer avec précaution derrière moi.

— Feu rouge !

Stéphane et Augustin sont à mi-chemin, figés en position de coureur, mais Jérôme, qui a une longueur d'avance, est encore en mouvement. En essayant de s'arrêter, il perd l'équilibre et tombe par terre.

— Tu as bougé ! Retourne au point de départ.

Jérôme retourne s'adosser contre la clôture en grognant. Lorsqu'il est prêt, je me retourne de nouveau et je ferme les yeux.

— Feu vert !

Presque aussitôt, quelqu'un me tape sur l'épaule.

— Tu as gagné ! dis-je en faisant demi-tour, surprise que l'un d'eux m'ait rejoint aussi rapidement.

J'ouvre les yeux. Alice Riopelle est devant moi.

— Alice !

Les garçons, qui ne savent plus s'ils doivent continuer ou s'arrêter, s'écroulent tous les trois au sol. J'éclate de rire en les voyant, mais Alice demeure sérieuse et me regarde étrangement.

— Que fais-tu ? demande-t-elle.

— Je garde. Nous jouons à Feu rouge-Feu vert. Et toi, qu'est-ce que tu fais ici ?

— J'habite à côté, répond Alice en me montrant la maison à la droite de celle des Robitaille.

Les garçons ont abandonné leur jeu et regardent Alice avec de grands yeux. Je suppose qu'ils n'ont jamais vu quelqu'un d'aussi bizarrement accoutré. Moi non plus, d'ailleurs.

— Pourquoi dois-tu garder ? demande Alice.

Les petits la dévisagent, l'air quelque peu contrarié.

— Je ne suis pas obligée de garder, dis-je. C'est mon travail et j'aime beaucoup garder les enfants.

Je lui parle alors du Club des baby-sitters, de son fonctionnement et des enfants que nous gardons.

— Et toi, que fais-tu dans tes temps libres ?

— Je peins ou je sculpte, répond Alice d'un ton détaché.

— Mais tu ne t'amuses jamais avec tes amies ? Tu dois faire autre chose.

— Non…je travaille à mon art. C'est tout ce qui m'intéresse. Tu sais, la seule façon d'exercer son talent, c'est d'y consacrer tout son temps.

J'écoute Alice avec intérêt. Elle doit savoir ce qu'elle dit, si l'on considère les oeuvres qu'elle a réalisées jusqu'ici. Peut-être devrais-je moi aussi consacrer un après-midi par semaine à mon art. Un après-midi sans distraction ni interruption.

— Le Club des baby-sitters doit prendre beaucoup de ton temps, de dire Alice.

— Effectivement, dis-je fièrement. Nos affaires marchent très bien.

— Mais alors, quand as-tu le temps de t'adonner à la sculpture ?

— Je le trouve le temps.

Alice essaie-t-elle d'insinuer que je ne prends pas vraiment la sculpture au sérieux ?

Augustin choisit alors ce moment pour enrouler ses bras autour de mes jambes et elle le dévisage comme si elle venait de voir un extraterrestre.

Je me sens soudain mal à l'aise. J'ai l'impression de passer moi-même pour une enfant aux yeux d'Alice.

— Je consacre tout le temps nécessaire à ma sculpture et à ma peinture, dis-je. En fait, j'ai décidé que j'avais suffisamment de temps pour présenter une pièce à l'exposition.

— Bien, déclare Alice en souriant.

Puis, elle fait demi-tour et s'éloigne de quelques pas.

— Hé ! Tu ne veux pas rester un moment ?

— J'aimerais bien bavarder un peu avec toi, mais…pas maintenant, répond-elle en désignant les petits Robitaille de la main.

Sur ce, elle nous quitte.

Alice occupe mes pensées pendant le reste de l'après-midi. Elle semble si mature. Et si sérieuse. Elle se fixe des objectifs et fait en sorte de les atteindre. J'aimerais bien être comme elle. En revenant de chez les Robitaille, je prends la décision d'accepter l'offre d'Alice au sujet de son aide pour ma sculpture. Je décide aussi qu'elle ne me surprendra plus à jouer à des jeux stupides quand je garderai chez les Robitaille.

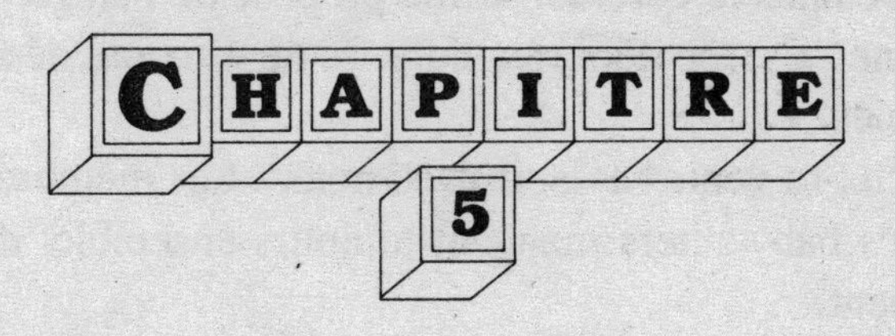

Ce que j'aime le plus du Club des baby-sitters, c'est que ses cinq membres sont de bonnes amies. Il y a un an, nous étions moins unies. Christine et Anne-Marie, qui étaient un peu jeunes de caractère et qui d'ailleurs étaient déjà d'excellentes amies, se tenaient toujours ensemble. Puis, lorsque Sophie est arrivée à Nouville, nous nous sommes tout de suite liées d'amitié. Nos goûts et nos intérêts étant très différents de ceux de Christine et d'Anne-Marie, nous nous retrouvions rarement toutes les quatre ensemble, sauf lors des réunions. Nous avions même l'habitude de dîner avec des groupes différents. Ensuite, Diane s'est installée à Nouville et se tenait surtout avec Anne-Marie. Puis lorsqu'elle a adhéré au Club, elle s'est mêlée à tout le monde et mangeait tantôt avec un groupe, tantôt avec l'autre.

Toutefois, cette année, les choses ont changé. Dès le début des cours, les cinq membres du Club ont commencé à manger ensemble, à sortir ensemble et à former un groupe, (bien que nous ayons quand même des amis qui ne font pas partie du Club). Ainsi, dès que la cloche sonne, nous nous précipitons toutes à la cafétéria et la première arrivée réserve notre table préférée.

C'est pour cette raison que lorsque Alice Riopelle m'aborde dans le corridor et me propose de manger avec elle, je ne sais trop quoi répondre. Je ne veux pas déserter mes amies.

— Veux-tu venir t'asseoir avec nous ? Les membres du Club des baby-sitters mangent toujours ensemble, dis-je finalement.

— Prenons plutôt une table à deux, répond Alice après quelques minutes de réflexion. Tu ne manges pas toujours avec elles, tout de même ? De quoi parlez-vous ? De gardes et d'enfants ?

— Pas nécessairement, dis-je. Nous bavardons de toutes sortes de choses.

— Eh bien, toi et moi, nous avons à discuter art. Souviens-toi que nous devons nous préparer en vue de l'exposition. Nous devons penser aux oeuvres que nous allons créer. J'aimerais t'aider à choisir ton sujet, si tu le veux.

— Oh, oui, ça me ferait plaisir, dis-je flattée.

Une fois rendues à la cafétéria, Alice se dirige immédiatement vers une table près de la fenêtre, mais je m'empresse de la tirer dans la direction opposée.

— Je dois d'abord dire deux mots à mes amies. Es-tu certaine que tu ne veux pas te joindre à elles ?

— Nous ne pourrons pas discuter sérieusement, répond Alice. Le temps est précieux et si tu veux devenir une grande artiste...

— Tu as peut-être raison.

Mon coeur commence à battre très fort dans ma poitrine. Comment réagiront les membres du Club des baby-sitters devant cette défection ? Ce n'est pas comme si j'étais malade ou que je devais aller travailler au centre de ressources. J'entraîne Alice vers notre table habituelle. Christine et Anne-Marie viennent juste de s'y installer avec leurs plateaux et Christine a déjà commencé à passer ses traditionnels commentaires au sujet du repas.

— Je sais à quoi ça ressemble, s'exclame-t-elle en regardant sa pointe de pizza. Tu te souviens de cet écureuil qui s'est fait écraser juste devant l'école, la semaine dernière ?

— Salut, les filles ! dis-je aussitôt en voyant blêmir Alice.

— Oh ! Salut ! dit Anne-Marie, en tirant la chaise à côté de la sienne. Sophie et Diane sont parties chercher du lait. Comment se fait-il que tu sois en retard ?

— Eh bien...Connaissez-vous Alice Riopelle ? Elle est nouvelle à l'école et elle est dans mon cours de sculpture. Nous allons manger ensemble aujourd'hui. Nous devons discuter d'un projet d'arts plastiques, dis-je tout d'un trait, sans même laisser aux autres le temps de saluer Alice.

Alice me prend alors possessivement par le bras.

— Oh, je comprends, répond Christine en nous regardant à tour de rôle, Alice et moi.

Anne-Marie nous regarde aussi, mais sans mot dire. À mes côtés, Alice garde le silence.

— Bon, à tout à l'heure, dis-je en fin de compte.

— C'est ça, réplique Christine.

Tandis que nous retraversons la cafétéria, je sens la colère monter en moi. Qu'est-ce qui m'interdit d'avoir une nouvelle amie ? Il n'y a aucune loi qui m'oblige à dîner tous les jours avec Christine, Anne-Marie, Diane et Sophie que je sache. Je n'ai pas de raison de me sentir coupable.

— Hé, nous avons oublié quelque chose, dis-je soudain alors que nous déposons nos livres sur la table.

— Quoi donc ? demande Alice en ramenant ses cheveux derrière ses épaules, me donnant ainsi l'occasion de voir ses six boucles d'oreilles.

— Notre repas !

— C'est bien vrai, répond-elle en souriant.

Nous laissons nos choses sur la table et nous allons faire la queue au comptoir. Je m'achète un sandwich et Alice, une pomme et un yogourt. Elle et Diane s'entendraient bien puisque Diane ne mange que des aliments santé. C'est dommage qu'Alice ne soit pas intéressée à rencontrer mes amies.

— Alors, as-tu pensé à ton sujet de sculpture ? demande-t-elle une fois que nous sommes installées à notre table.

— Non, pas encore.

Ce n'est pas tout à fait vrai, mais je préfère la laisser parler. Elle aura probablement de bonnes idées, étant donné que c'est une experte en la matière.

— Et toi, dis-je, as-tu des idées pour ton projet ?

— Il y a tellement de possibilités, répond Alice en secouant la tête. Je n'ai tout simplement pas fait de sélection. Mais j'ai une idée géniale. J'ai lu dans le journal qu'il y avait un vernissage à la Galerie Kuller.

Kuller est l'autre galerie d'art de Nouville, la plus ancienne.

— C'est une exposition d'aquarelles, ajoute-t-elle, mais nous devons quand même y aller. Les expositions sont toujours d'excellentes sources d'inspiration pour moi.

— Mais nous cherchons des idées de sculptures, pas de peintures.

— On ne sait jamais sous quelle forme frappe l'inspiration. Oh, Claudia, tu dois absolument venir. Personne d'autre n'est en mesure d'apprécier les oeuvres exposées.

— D'accord, dis-je, rayonnante. Mais je dois être de retour pour dix-sept heures trente. J'ai une réunion du Club des baby-sitters.

J'arrive à la maison à dix-sept heures quarante-cinq. Dès dix-sept heures, j'ai commencé à dire à Alice que je devais partir, qu'on m'attendait, et ainsi de suite. Mais chaque fois que je disais quelque chose, elle m'entraînait vers une autre peinture, s'exclamant sur les couleurs, la profondeur du sujet, l'âme du peintre et je ne sais quoi encore. Elle était si absorbée que je me demande si elle entendait ce que je lui disais.

Cependant, je dois admettre que cette visite avec Alice a été des plus enrichissantes. Elle m'a fait admirer les peintures avec des yeux neufs et m'a fait découvrir des choses que je n'aurais probablement pas remarquées seule. De plus, elle a écouté, vraiment écouté mes commentaires sur les aquarelles.

J'ai donc eu du mal à m'en aller car j'appréciais énormément cette visite à la galerie d'art. Aucune de mes amies n'aurait trouvé autant de plaisir à cette exposition car elles ne s'intéressent aux beaux-arts que parce que cela me passionne.

Lorsque je fais irruption dans ma chambre à dix-sept heures quarante-cinq, la réunion est déjà bien avancée.

— Vous avez commencé sans moi ! dis-je d'un ton accusateur.

— Bonsoir ! lance Christine avec une pointe d'ironie. Bien sûr que nous avons commencé sans toi. Le téléphone s'est mis à sonner. Croyais-tu que nous allions dire à tout le monde de rappeler quand Mademoiselle Kishi serait de retour ? De toute façon, nous ne savions même pas si tu viendrais. Où étais-tu ?

— Je suis allée chez Kuller avec Alice.

En entendant le nom d'Alice, mes amies se regardent.

— Pourquoi n'as-tu pas téléphoné pour dire que tu serais en retard ? demande Christine. Tu sais que c'est le règlement.

— J'étais sur le chemin du retour. J'ai couru jusqu'ici. Je suis partie de la galerie d'art un peu tard, c'était tellement agréable...

— Tant que ça ? demande Sophie. Est-ce que tu avais autant de plaisir que lorsque nous sortons ensemble ?

— Voyons, Sophie, dis-je en me forçant à rire.

Le téléphone sonne alors et nous interrompons notre discussion pour prendre l'appel.

— Qu'est-ce que j'ai manqué ? dis-je enfin, un peu mal à l'aise.

— Il y a eu trois appels, répond Christine. D'après l'Agenda, tu semblais disponible, mais comme nous n'étions pas certaines, Sophie et Anne-Marie ont pris les engagements.

Je hoche la tête. Elles ont agi de façon équitable et de toute façon, c'est le règlement. Lorsqu'on est en retard à une réunion et qu'on n'a pas avisé personne, on perd ses privilèges. Mais tout de même, je n'aime pas me sentir à l'écart.

Et je n'aime pas non plus la façon dont Sophie me regarde.

J'ai eu des problèmes avec Julien aujourd'hui et comme cela a eu des répercussions sur mon après-midi de garde, je crois que je devrais vous mettre au courant. Je gardais chez les Seguin et Myriam et Gabrielle étaient sages comme des images. En fait, elles s'amusaient ensemble dans la salle de bains et même si leur jeu était un peu salissant, Mme Seguin a dit que ce n'était pas grave vu que ce serait facile à nettoyer. Tout se déroulait très bien et même Choubaco était tranquille. C'est alors que le téléphone a sonné...

Ce que vous devez savoir au sujet de Julien, le frère cadet de Diane, c'est que depuis le début des cours, il est toujours dans le pétrin. Il dit qu'il s'ennuie de son père. Voyez-vous, les parents de Diane ont divorcé l'année dernière et Mme Dubreuil, la mère de Diane, est venue s'établir à Nouville, le lieu de son enfance. Quant au père de Diane et Julien, il est allé s'installer en Californie.

Au début, tout semblait bien aller. Diane a rencontré des amies et elle est devenue membre du Club des baby-sitters. Julien aussi s'est fait des amis et Mme Dubreuil a trouvé un emploi. Puis, à la fin de l'été, Diane et Julien sont allés visiter leur père, en Californie. Depuis, Julien donne du fil a retordre à sa mère et à Diane. Il répète à qui veut l'entendre que son père lui manque et qu'il ne veut plus vivre avec sa mère et Diane. De plus, il a toutes sortes de problèmes à l'école.

En sonnant chez les Seguin cet après-midi là, Diane entend un bruit de galopade accompagné de joyeux aboiements. C'est Choubaco, le labrador noir des Seguin.

— C'est toi, Diane ? demande Mme Seguin à travers la porte.

— Oui, répond Diane.

— Entre. Je vais aller mettre Choubaco dans la cour.

En entrant, Diane est frappée par le silence qui règne dans la maison. À part la voix de Mme Seguin qui parle à Choubaco, il n'y a pas un bruit. Où sont donc Myriam et Gabrielle ? Normalement, elles se précipitent à la porte chaque fois que l'une de nous arrive.

Mme Seguin rejoint Diane et, un doigt sur la bouche, lui fait signe de garder le silence.

— Viens voir, chuchote-t-elle.

Diane suit Mme Seguin à l'étage, jusqu'à la salle de bains. Passant la tête dans la porte entrebâillée, elle aperçoit les deux fillettes. Gabrielle, qui a presque trois ans, est assise sur le couvercle de la toilette. D'une main, elle tient un miroir et, de l'autre, elle applique soigneusement de l'ombre à paupières sur ses yeux...et ses sourcils.

Debout sur un petit banc, de façon à se voir dans la glace au-dessus de l'évier, Myriam, six ans, est en train de se mettre du rouge à lèvres de couleur orange.

Partout autour d'elles, par terre, dans l'évier, sur le bord du bain, sont répandus des tampons de ouate, des bigoudis, des peignes, des pots de crème presque vides, de vieux tubes de mascara, des poudriers vides. De plus, toutes les poupées et tous les oursons en peluche des petites sont assis en rangée contre le mur.

Soudain, Myriam aperçoit Diane et sa mère dans la glace.

— Salut ! s'écrie-t-elle.

— Allô, Diane Dubreuil ! ajoute Gabrielle qui appelle tous les gens par leur prénom et leur nom de famille.

— Nous jouons au salon de beauté, annonce Myriam en descendant de son perchoir. Et ce sont nos clientes, dit-elle en montrant les poupées et les animaux en peluche.

— Mes chéries, je dois partir maintenant, interrompt Mme Seguin. J'ai un autre rendez-vous chez le médecin, dit-elle à Diane. (Mme Seguin attend un bébé.) Le numéro du médecin est sur le réfrigérateur. J'ai aussi quelques courses à faire, alors je ne serai pas de retour avant dix-sept heures. D'accord ? As-tu des questions ?

— Est-ce que je peux vraiment laisser les filles jouer avec tout ça ? demande Diane en jetant un oeil dans la salle de bains en désordre.

— Oh, oui. Ne t'en fais pas. Je leur donne toujours mes restants de maquillage. Ne t'inquiète pas au sujet du nettoyage non plus. Nous ferons cela ce soir ou demain. L'important, c'est qu'elles s'amusent.

Diane sourit. Mme Seguin est vraiment une super maman. Nous en connaissons une, la mère de Jeanne Prieur, qui devient hystérique à la pensée d'un seul grain de poussière.

Après le départ de Mme Seguin, Myriam présente quelques-unes de ses « clientes » à Diane. Elle lui montre d'abord un ourson en peluche, coiffé d'un bonnet de douche et dont le museau de plastique est barbouillé de rouge à lèvres.

— C'est Mme Xérox. Elle se fait donner une permanente.

— C'est moi qui lui ai mis son rouge à lèvres, informe Gabrielle en regardant Diane de ses yeux fardés de bleu et de vert.

Un trait de rouge à lèvres rose s'étend d'une oreille à l'autre et donne l'impression qu'elle sourit constamment.

— Je suis jolie, n'est-ce pas ? déclare-t-elle en s'admirant dans le miroir.

— La sonnerie du téléphone retentit et Diane se précipite dans la chambre de M. et Mme Seguin.

— Allô ? Résidence des Seguin.

— Diane ? demande une voix maussade à l'autre bout du fil.

— Julien ? Que se passe-t-il ? Es-tu à la maison ?

— Pas exactement. Je suis à l'école et je…j'ai des ennuis. Mme Bessette ne veut pas me laisser partir tant que je n'ai pas appelé Maman. Mais j'ai téléphoné à son bureau et elle est en réunion en dehors de la ville. Je me suis alors souvenu que tu gardais chez les Seguin et j'ai cherché leur numéro dans l'annuaire. Qu'est-ce que je vais faire maintenant ?

— Bon, commençons par le commencement, dit Diane qui essaie de garder son calme. Pourquoi Mme Bessette refuse-elle de te laisser partir ?

— Parce que j'ai lancé une brosse à effacer dans la classe.

— Ça ne me semble pas si grave. Es-tu certain que c'est tout ?

— C'est que…c'était la troisième fois que je la lançais et elle a heurté une vitre et la vitre s'est fracassée et un morceau a coupé la jambe de Lyne Perron…

— Oh, Julien ! gémit Diane. Tu ne peux vraiment pas rejoindre Maman ?

— Non. Ils m'ont dit qu'elle ne reviendrait pas au bureau.

— Eh bien, je suppose que je vais devoir me rendre à l'école moi-même. Je pourrai peut-être parler à Mme Bessette. Il est bien évident que je ne peux pas te laisser là tout l'après-midi.

— Oh ! Ça serait super !

— Julien, je veux que tu saches que je ne suis pas contente du tout. Je garde présentement et je vais être obligée d'emmener Myriam et Gabrielle.

— D'accord, répond Julien sans même s'excuser.

Diane raccroche et va retrouver les petites.

— Les filles, je suis vraiment désolée, mais il faut fermer

le salon de beauté pour un certain temps. Nous devons aller à ton école, Myriam, annonce-t-elle.

— À l'école ! s'exclame Myriam, l'air complètement abasourdie.

À son âge, aller à l'école après les heures de classe équivaut à une excursion dans un parc d'amusement fermé pour la nuit.

Diane lui explique brièvement pourquoi elle doit partir, tout en essayant de trouver le moyen le plus rapide d'amener les filles.

— On n'est pas obligées de fermer le salon de beauté, déclare Myriam. On peut le déménager.

— Bonne idée ! s'écrie Diane qui a hâte d'en finir avec cette histoire.

— Hourra ! crient Gabrielle et Myriam, en ramassant leurs bigoudis et leur maquillage.

Sans prendre le temps de leur laver le visage, Diane installe les deux fillettes avec tout leur fourbi dans la voiturette rouge de Myriam.

Elle fait le trajet en un temps record et une fois rendue à l'école, ne voulant pas laisser la voiturette dehors, elle fait entrer les filles et leur véhicule à l'intérieur et les tire dans le corridor jusqu'à la classe de Julien. Elle trouve ce dernier assis à son bureau, affichant une mine renfrognée, tandis que Mme Bessette travaille tranquillement au sien.

— Euh, excusez-moi, fait Diane.

Mme Bessette et Julien lèvent la tête et sursautent en apercevant la voiturette et les deux petites soeurs avec leur visage d'Halloween.

— Je suis Diane Dubreuil, la soeur de Julien, annonce

Diane avant d'expliquer pourquoi elle est venue à la place de sa mère.

— Et moi, je suis Mlle Esméralda, annonce Myriam en saluant. Je dirige un salon de beauté. Voici mon assistante, ajoute-t-elle en présentant Gabrielle.

— Je suis Mlle Gaby, dit celle-ci.

— Voulez-vous une mise en plis ? demande Myriam à Mme Bessette.

— Non, merci...Pas aujourd'hui, de répondre cette dernière.

— Moi je voudrais bien en avoir une, déclare Gabrielle.

— Bien sûr, répond Myriam en se mettant tout de suite au travail.

Mme Bessette entraîne Diane dans le corridor.

— Je suis très inquiète au sujet de ton frère. Il a de sérieux problèmes de comportement. Si la coupure de Lyne avait été juste un peu plus profonde, il aurait fallu la conduire à l'hôpital pour des points de suture. Je voulais parler à ta mère en personne car la situation est assez grave.

— Je suis vraiment désolée qu'on ne puisse la rejoindre, dit Diane.

— Moi de même, réplique Mme Bessette.

— Je peux lui demander de vous téléphoner demain ou même ce soir, chez vous. Peut-être pourrez-vous vous rencontrer et discuter du problème.

— Oui, ce serait du moins la première chose à faire. Dis-lui de me téléphoner ce soir. Tiens, voici mon numéro à la maison. Je te remercie d'avoir pris la peine de venir jusqu'ici. Je constate que tu étais occupée. Tu m'as l'air d'une jeune fille très consciencieuse.

— Merci, répond Diane qui ne sait vraiment pas quoi dire à cela.

Quelques minutes plus tard, Diane quitte l'école avec les petites Seguin et son frère. Furieux, Julien prend le chemin de la maison sans même adresser la parole à sa soeur. Il est dix-sept heures quinze quand Diane et le salon de beauté ambulant arrivent chez les Seguin. Mme Seguin attend devant la porte.

— Où étiez-vous ? demande-t-elle anxieusement.

— Je suis désolée, s'exclame Diane. J'aurais dû vous laisser une note.

Se confondant en excuses, elle raconte ce qui s'est passé à Mme Seguin. Heureusement, celle-ci se montre compréhensive et indulgente.

En retournant chez elle à bicyclette, Diane se demande combien de fois elle devra aller tirer Julien du pétrin. « J'ai l'impression, se dit-elle, que maman et moi, nous allons en voir de toutes les couleurs. »

— J'ai pris une décision, annonce Alice.

— Oui ?

C'est l'heure du dîner et je suis de nouveau assise avec Alice. À l'autre bout de la cafétéria, j'aperçois la table du Club des baby-sitters. Tout semble se dérouler comme d'habitude. Christine tient une nouille d'une main en disant quelque chose et Anne-Marie, Diane et Sophie roulent les yeux en secouant la tête. Je souris. Chaque midi, c'est pareil. Christine critique toujours le menu et nous lui en voulons à cause de ses commentaires peu appétissants. Mais aujourd'hui, ça me manque.

J'aimerais bien que l'une de mes amies se retourne et me sourie ou m'envoie la main. Mais elles ne s'occupent pas de moi.

Je suis assise avec Alice parce que je dois absolument trouver un sujet pour ma sculpture et me mettre au travail tout de suite si je veux participer au concours.

— Je vais sculpter un objet inanimé, déclare Alice.

— Quoi ?

— Un objet inanimé, répète Alice. Quelque chose qui n'est pas en vie, comme une chaise, une table, un crayon.

— Mais, dis-je, sceptique, la plupart des sculptures représentent des animaux ou des êtres humains, à part les sculptures abstraites, bien sûr. Et Mme Boulet dit que sculpter, c'est justement capter l'esprit d'un être vivant dans un matériau inerte comme la glaise ou la pierre... Je ne sais pas, Alice. Je ne suis pas certaine que nous nous engageons sur la bonne voie. Pourquoi ne pas nous en tenir à la créativité régulière ?

— Viens au centre-ville avec moi cet après-midi, dit-elle soudain. Nous allons aller chercher l'inspiration sur le terrain.

— Sur le terrain ?

— Oui, dans la vie de tous les jours.

— Bon, d'accord.

Cela semble très excitant. Les vrais artistes vont probablement souvent sur le terrain. Un sourire se dessine lentement sur mon visage. Nous allons devenir des novatrices de la sculpture. Alice et moi allons expérimenter des techniques auxquelles les autres sculpteurs n'ont jamais pensé.

— C'est une idée géniale, dis-je en regardant Alice. Cette excursion sur le terrain devrait nous stimuler. Nous pourrons ensuite nous mettre à l'oeuvre sans tarder. Oh, mais j'ai une autre réunion du Club cet après-midi. Je devrai être de retour pour dix-sept heures trente.

— Bien sûr. Aucun problème, répond Alice, d'un ton sec.

Tout comme l'exposition d'aquarelles, marcher dans les rues de la ville avec Alice s'avère une expérience pleine de surprises. Je ne sais pas si c'est parce qu'elle regarde la ville avec les yeux d'une nouvelle venue ou avec ceux d'une artiste, mais Alice remarque toutes sortes de choses auxquelles je n'avais jamais prêté attention. Et dans ces choses, elle voit d'autres choses que je n'aurais jamais appris à percevoir moi-même sans elle.

Nous venons tout juste de nous engager sur la rue Principale quand Alice me prend par le bras.

— Quoi ? Qu'est-ce qu'il y a ?

— Regarde ! Regarde cette borne-fontaine. Observe la noblesse qui se dégage de sa forme. Elle est petite et trapue, mais elle se tient bien droite, comme un jockey sur un cheval de race.

— Ça alors, dis-je en poussant un profond soupir. Je me rends compte que jusqu'à ce moment, je retenais ma respiration.

— Je crois que je viens de trouver mon sujet, dit pensivement Alice.

— Pour ta sculpture ? Mais qu'est-ce qu'elle a de si particulier cette vieille borne-fontaine ?

— Elle est petite, mais noble. Et j'essaierai de faire ressortir ces qualités en la sculptant. Le secret, lorsque l'on sculpte des objets inanimés, c'est de les faire paraître vivants.

Je suis sur le point de passer un commentaire, mais je me ravise. En y réfléchissant un peu, je comprends ce que veut dire Alice. Seulement, je ne vois pas comment on peut y arriver.

— Viens, continuons à chercher.

Au cours des années, j'ai parcouru Nouville dans tous les sens pour trouver des souliers d'une couleur particulière, ou un blouson spécial, ou encore des fournitures scolaires.

Mais c'est la première fois que je me promène dans la ville en m'exclamant devant les enjoliveurs de roues, les paniers à rebuts et les lampadaires.

— Oh ! crie soudain Alice. Regarde ces feux de signalisation.

— Oh oui ! Imagine le pouvoir qui émane de ces feux. Ils contrôlent la circulation et même la vie des gens. Ils peuvent causer des retards et aussi empêcher des accidents. C'est stupéfiant tout ce que renferme cette boîte, dis-je soudainement inspirée.

— C'est vrai, répond Alice d'un ton admiratif. Ça pourrait être ton sujet.

— Peut-être, dis-je, incertaine.

Et nous continuons en jetant un regard nouveau sur tout ce qui nous entoure.

— Regarde cette cannette écrasée !

— Regarde ce vieux journal déchiré !

Lorsque nous nous arrêtons dans un restaurant pour prendre une petite collation, tout ce que je trouve à dire c'est : « Regarde cette paille ! Regarde cette fourchette ! » Puis, je regarde ma montre.

— Oh ! Il est dix-sept heures dix. Je vais encore être en retard à la réunion du Club. Je suis désolée, Alice, mais je dois partir.

— Mais Claudia, nous n'avons pas pris de décision définitive. Il faut retourner examiner cette borne-fontaine et les feux de signalisation.

— Alice, je dois assister à la réunion. Le Club est important pour moi. C'est une entreprise que nous avons fondée et nous avons travaillé fort pour qu'elle devienne rentable. De plus, les autres membres du Club sont aussi mes amies.

— Ne suis-je pas ton amie, moi aussi ? demande Alice d'une petite voix.

— Oui, dis-je lentement. Tu es mon amie.

Alice me sourit et je commence à me sentir mal à l'aise. C'est peut-être vraiment important pour elle et je suis certaine que je suis sa seule amie. Moi, j'ai quatre bonnes amies, mais jusqu'à maintenant, Alice n'en a qu'une.

— Cette réunion n'est pas vraiment urgente après tout. Nous pourrions peut-être retourner jeter un coup d'oeil sur cette borne-fontaine. En attendant que la serveuse apporte notre commande, je vais appeler Diane pour l'avertir que je n'irai pas.

Je téléphone donc à Diane en espérant qu'elle sera chez elle. Je pousse un soupir de soulagement en entendant sa voix.

— Allô, c'est Claudia.

— Oh ! Allô ! répond Diane sur un ton prudent.

— Écoute, je ne pourrai pas assister à la réunion aujourd'hui. Alice et moi devons absolument choisir notre sujet de sculpture...tu sais, pour l'exposition. Peux-tu remplir les fonctions de vice-présidente à ma place ? Et peux-tu aviser les autres de mon absence ?

— Bien sûr.

Sa réponse est suivie d'un silence embarrassant.

— Veux-tu que nous prenions des engagements pour toi ? dit-elle enfin. Est-ce que tu as inscrit tes cours d'arts plastiques et tout ça dans l'Agenda pour que nous sachions quand tu es disponible ?

— Je crois que oui. Bon, je dois te laisser, Alice m'attend.

— D'accord. Salut, répond sèchement Diane.

Ce soir, je relis pour la cinquième fois la note que m'a laissée Anne-Marie à la suite de la réunion qui s'est tenue dans ma chambre, comme d'habitude : « Claudia, tu gardes Nina et Delphine Masson vendredi prochain, de quinze heures trente à dix-huit heures. A.-M. L. »

C'est tout. Pas de « Salut Claudia ! » ou « À bientôt ! » Je suppose que mes amies sont fâchées contre moi. Mais lorsque je me couche, mes doutes sont confirmés. En effet, je découvre sous mon oreiller une note que Christine y a glissée : « À l'école, tout le monde pense qu'Alice est une personne bizarre. J'ai pensé que je devrais t'avertir. Christine. » Mais le pire dans tout ça, c'est que je n'ai même pas encore choisi mon sujet de sculpture. Alice a opté pour la borne-fontaine, mais moi je ne peux me résigner à sculpter des feux de signalisation, même si cela ferait de moi une novatrice dans le domaine des arts. J'ai manqué une réunion, perdu un après-midi et je ne suis pas plus avancée qu'hier pour ce qui est de ma sculpture.

Il y a des traîtres au sein du Club. Pas besoin de les nommer. Ordinairement, ce Journal sert à consigner nos engagements, mais on y note également les problèmes du Club. Je crois que nous avons un problème à l'heure actuelle. Une certaine personne a manqué plusieurs réunions dernièrement. Heureusement que nous avons une suppléante officielle pour assumer les fonctions de la vice-présidente qui est toujours absente.

Ça ne me dérange pas d'être vice-présidente, vous savez.

Peut-être que ça ne dérange pas Diane, mais nous, ça nous dérange d'avoir une v.-p. qui préfère être une artiste.

Oui, avant, notre v.-p. était super, mais maintenant, elle ne se présente plus aux réunions et elle se tient avec une personne qui porte des pantalons à pattes d'éléphant!

Et ça continue ainsi pendant plusieurs pages, de sorte que j'ai une assez bonne idée de ce qui s'est passé à la deuxième réunion que j'ai manquée. Plus tard, lorsque nous nous sommes réconciliées, Sophie m'a tout raconté. J'ai manqué une deuxième réunion parce que Alice m'a convaincue de retourner sur le terrain avec elle afin de trouver un sujet de sculpture, vu que je ne pouvais me conditionner à sculpter des feux de signalisation. Et comme nous avons encore pris plus de temps que prévu, j'ai dû téléphoner à Diane pour qu'elle assume mes fonctions à une autre réunion qui aurait lieu sans moi.

Voici comment cette réunion s'est déroulée. Diane arrive dans ma chambre juste après Christine.

— Eh bien, je suis vice-présidente encore une fois, annonce-t-elle sans préambule.

— Encore ? Comment se fait-il ? demande Christine.

— Claudia vient juste de m'appeler. Elle est avec Alice. C'est toujours cette histoire de sculpture.

Grognant et maugréant, Christine commence à fouiller dans mon lit, soulevant les oreillers et les couvertures.

— Qu'est-ce que tu fais ? demande Diane.

— Je cherche la gomme à mâcher de Claudia.

— Qu'est-ce que tu fais ? demande à son tour Anne-Marie qui entre sur ces entrefaites, suivie de Sophie.

— Je cherche la gomme à mâcher de Claudia, répète Christine.

— Elle cache sa gomme dans un livre creux, dit Sophie en pointant la bibliothèque du doigt. Où est Claudia ?

— Devine, répond sèchement Christine en ouvrant mon livre creux et en sortant deux gommes. (Une pour elle et une autre pour Anne-Marie. Diane et Sophie n'en mâchent pas.)

— Je n'ai pas besoin de deviner. Elle est encore avec Alice.

— C'est ça.

— Ça continue, soupire Sophie en se laissant tomber sur mon lit. Imaginez-vous que cette Alice portait des pantalons à pattes d'éléphant aujourd'hui. Tout le monde la trouve excentrique.

— C'est vrai qu'elle est bizarre, dit Anne-Marie. Elle ne parle à personne sauf à Claudia. Si vous voulez mon avis, ce n'est qu'une prétentieuse.

Dring ! Dring !

Mes amies sont moins empressées que d'habitude pour répondre au téléphone. Finalement, Sophie répond à la troisième sonnerie et prend un engagement chez les Mainville. La mère de Diane appelle ensuite afin de réserver une gardienne pour Julien.

— Comment vont les choses avec Julien ? demande Anne-Marie après avoir raccroché.

— Je crois que tout va rentrer dans l'ordre tranquillement, répond Diane en haussant les épaules. Maman a rencontré l'enseignante et lui a dit qu'elle avait aussi des problèmes à la maison. Mme Bessette l'a informée de tout ce que Julien ne fait pas à l'école : il ne travaille pas, il ne répond pas quand on lui adresse la parole, il ne prête pas attention à ce qui se dit, etc. Elles ont convenu d'adopter une attitude de fermeté et de ne rien laisser passer. Il faut également l'encourager et le féliciter quand il fait quelque chose de bien. J'aurais cru qu'elles allaient envisager des mesures plus radicales comme envoyer Julien retrouver Papa en

Californie. Mais je suppose qu'il vaut mieux y aller graduellement et espérer pour le mieux.

— Bien sûr, répond Anne-Marie. On commence toujours par donner des médicaments aux gens au lieu de procéder à une opération.

La comparaison d'Anne-Marie fait rire les filles qui imaginent Julien sur la table d'opération en train de se faire enlever son mauvais caractère.

— Tout de même, Maman et Papa se parlent beaucoup ces derniers temps, ajoute Diane, songeuse.

— Ils parlent de Julien ? demande Sophie.

— Probablement. Je sais qu'ils communiquent parce que l'autre jour, je cherchais du ruban adhésif et j'ai aperçu le relevé de téléphone sur le bureau de Maman. Il y avait toute une liste d'appels au numéro de Papa, tous datés de ces dernières semaines et la plupart ont été faits tard le soir. J'imagine qu'ils se parlent en fin de soirée parce qu'ils ne veulent pas que Julien et moi sachions de quoi ils discutent. Cela signifie qu'ils doivent parler de Julien. Sinon, de quoi d'autre pourraient-ils discuter ? Ils n'ont certainement pas l'intention de reprendre la vie commune.

La sonnerie du téléphone retentit à ce moment et Diane décroche rapidement comme si elle était contente d'être interrompue.

— Club des baby-sitters, bonjour ! Oui ? Jusqu'à vingt-trois heures ?...D'accord, je vous rappelle dans quelques minutes. Au revoir.

Anne-Marie, toujours prête et organisée, attend crayon en main, l'Agenda ouvert sur ses genoux.

— Un travail de soir ? demande-t-elle, les yeux brillants.

Nous aimons toutes garder tard le soir, même si nous avons peur quelquefois.

— Oui, chez les Papadakis, répond Diane en lui indiquant la date.

— Eh bien, Christine, tu es disponible et Claudia aussi.

— Oh, Christine, prends l'engagement, disent Diane et Sophie en même temps.

Voyez-vous, les Papadakis demeurent en face de chez Christine et nous lui confions habituellement les engagements dans son quartier parce que c'est beaucoup plus pratique pour elle et pour les clients qui n'ont pas à la reconduire chez elle. Mais cette fois-ci, il est flagrant que mes amies ne veulent pas me confier d'engagement. Elles veulent me punir de mon absence.

Anne-Marie écrit le nom de Christine dans l'Agenda à la date convenue pendant que Diane rappelle Mme Papadakis pour lui dire que Christine ira garder.

— Croyez-vous que nous aurions dû offrir cette garde à Claudia ? Nous aurions pu rappeler Mme Papadakis demain, dit soudain Anne-Marie qui se sent coupable.

— Pas du tout, réplique Sophie. Pourquoi faire attendre une bonne cliente. De toute façon, c'est presque toujours Christine qui garde dans son quartier et c'est voulu.

Cette déclaration est suivie d'un long silence.

— Et puis, Claudia n'aurait probablement pas le temps de garder, ajoute Sophie. Elle est trop occupée avec Alice.

— Elle ne dîne même plus avec nous, dit Diane.

— Je crois qu'elle ne m'aime plus, fait Sophie, d'une petite voix.

Ce disant, ses yeux s'emplissent de larmes.

— Merde ! s'exclame-t-elle en donnant un coup de poing dans mon oreiller, écrasant du même coup le sac de biscuits qui est caché dessous. Je déteste pleurer.

— Oh, Sophie, murmure Anne-Marie qui a elle aussi les yeux pleins d'eau. Nous te comprenons. Nous savons que Claudia est ta meilleure amie. Tu dois être très...malheureuse.

Sophie et Anne-Marie laissent alors libre cours à leurs larmes pendant que Christine, furieuse, met ma chambre sens dessus dessous en cherchant quelque chose à manger.

— C'est le comble, crie-t-elle. Claudia n'est même pas là et elle a réussi à transformer cette réunion en veillée funéraire !

— Anne-Marie, ressaisis-toi, dit Sophie qui a déjà cessé de pleurer. Pense à des choses agréables. Pense à Tigrou (c'est le chat d'Anne-Marie).

— Pense à Louis, dit Diane. (Louis, c'est le copain d'Anne-Marie. Croyez-le ou non, Anne-Marie est la seule membre du Club qui sort avec un garçon.)

— J'essaie, murmure Anne-Marie en reniflant.

— Non mais, écoutez-moi ça ! s'exclame Christine. Comme si en pensant à des choses agréables, nous allions régler nos problèmes. Séchez vos larmes, les filles, cessez de vous lamenter, soyez prêtes à prendre les appels et comportez-vous comme des gardiennes responsables !

En fermant la porte de mon casier, j'entends un bruissement à l'intérieur. Bon ! Mon affiche de Simon Lebel, le plus bel acteur de la décennie, s'est décollée une fois de plus. Cela se produit souvent car vu qu'il nous est interdit de coller des choses dans nos casiers avec du ruban adhésif, tout le monde contourne le règlement en utilisant de la gomme à mâcher. Mais le problème, c'est qu'après un certain temps, la gomme sèche et ne colle plus. J'ouvre mon casier et je remets l'affiche en place. Puis, en me retournant, je manque d'entrer en collision avec Alice. Elle porte une robe à volants, qui lui va jusqu'aux chevilles, et un bandeau noir autour de la tête. J'avoue que sa tenue est plutôt extravagante.

— Je suis contente de te voir, me dit-elle. J'ai eu une idée ce matin, pour ta sculpture, et je voulais t'en faire part tout de suite.

— Tant mieux, dis-je, parce que l'idée d'un objet inanimé ne m'inspire pas du tout.

— Je sais et…

— Salut, Claudia !

— Salut, Claudia !

— Salut, Claudia !

— Salut, Claudia !

— Salut, les filles ! dis-je, heureuse de voir toutes les membres du Club des baby-sitters me saluer.

J'attends qu'elles saluent aussi Alice ou que celle-ci leur dise bonjour, mais personne ne parle.

— Euh…dis-je nerveusement.

— C'est dommage que tu n'aies pu venir à la réunion, hier, dit Christine d'un ton plein de sous-entendus.

— Je suis désolée, je devais…

— Oui, oui, nous sommes au courant, interrompt Diane.

— Ta robe est très originale, remarque Sophie en regardant Alice d'un oeil critique.

Alice rougit jusqu'à la racine des cheveux mais ne réplique rien. Nous savons toutes que Sophie fait de l'ironie.

— Crois-tu que tu trouveras le temps d'assister à la prochaine réunion ? me demande Diane.

Je la regarde, surprise. Depuis quand notre suppléante officielle s'adonne-t-elle au sarcasme ?

— J'en ai l'intention, dis-je.

— J'espère que tu approuves, dit Christine en fixant Alice.

— Claudia…commence Alice qui semble très mal à l'aise, Claudia est une artiste…

— Tu n'as pas besoin de nous le rappeler, l'interrompt Christine.

— C'est une artiste et elle a besoin de consacrer du temps à son oeuvre, poursuit Alice.

— Pour qui te prends-tu ? Son professeur ou quoi ? demande Sophie.

— Je suis son mentor, réplique Alice le plus sérieusement du monde.

Voilà qui met fin à la discussion, momentanément du moins, car sauf Alice, personne ne sait au juste ce qu'est un mentor. (Par la suite, j'ai cherché ce mot dans le dictionnaire. Un mentor est un conseiller sage et expérimenté. Je suppose que c'est encore mieux qu'un simple professeur.)

— Si Claudia veut développer ses talents au maximum, et je crois qu'elle a un avenir très prometteur dans le monde des beaux-arts, elle doit consacrer le plus de temps possible à son travail, poursuit Alice.

— Mais, c'est ce qu'elle fait, insiste Anne-Marie. Elle y consacre beaucoup de temps.

Une fois de plus, je ne peux m'empêcher de penser que mes amies ne comprennent rien à l'art.

— Elle perd son temps en jouant à la gardienne, répond Alice en secouant la tête.

— Un instant ! dit Christine d'un ton furieux en se tournant vers moi. Est-ce que ça veut dire que tu laisses tomber le Club ! Si c'est le cas, tu pourrais peut-être nous le laisser savoir. Il faudrait tenir les réunions ailleurs que dans ta chambre, et aviser nos clients de notre nouveau numéro de téléphone, et rédiger de nouvelles circulaires et...

— Je n'ai pas l'intention de quitter le Club ! dis-je.

— Ce n'est pas l'impression que tu nous donnes, répond Sophie.

— On dirait plutôt le contraire, ajoute Anne-Marie sèchement, elle qui est pourtant la douceur incarnée.

— Avertis-nous si tu démissionnes, reprend Christine.

— IL N'EST PAS QUESTION QUE JE DÉMISSIONNE !

— Nous t'avons compris, disent Christine et Sophie d'une même voix.

— Salut ! ajoutent Anne-Marie et Diane.

— Salut ! dis-je.

Sur ce, mes quatre amies s'éloignent tandis que je reste plantée au milieu du corridor avec Alice.

— Oh, et puis après, dis-je. Je n'ai pas besoin d'elles.

— Tu as bien raison. Les vrais artistes n'ont pas besoin d'amis.

J'essaie de sourire à Alice, mais je n'y arrive pas.

Mme Boulet n'est pas encore arrivée et pendant ce temps, les élèves en profitent pour chahuter. Assise à ma place, je regarde en riant Jean Deslauriers qui, le visage caché derrière un horrible masque d'argile, court après Isabelle Dubord.

Cependant, Alice est déjà au travail. Absorbée dans sa sculpture de borne-fontaine, elle ne voit ni n'entend rien. J'aimerais bien pouvoir me concentrer comme elle.

— Bonjour tout le monde, dit Mme Boulet en entrant dans la classe.

Instantanément, tout le monde se retrouve à sa place.

— Aujourd'hui, pendant que vous travaillez, je vais tous vous rencontrer individuellement afin de savoir comment se déroule votre projet pour l'exposition. N'hésitez pas à m'interrompre si vous avez besoin d'aide.

Comme Alice et moi sommes assises en avant de la classe, Mme Boulet vient nous voir en premier.

— Alice, tu es bien décidée à sculpter une borne-fontaine ? demande-t-elle.

— Oui, madame. J'ai déjà commencé, répond-elle en désignant la pièce qui prend lentement forme devant elle.

Mme Boulet examine cette ébauche pendant plusieurs secondes, sans que l'on puisse lire la moindre expression sur son visage.

— Tu es consciente qu'il s'agit d'un choix plutôt curieux pour une sculpture, n'est-ce pas ? dit-elle finalement.

— Bien, dit lentement Alice, je crois simplement que c'est différent. Je veux me distinguer.

— Tu ne préfères pas terminer l'aigle que tu avais commencé ? Il est splendide et constituerait une pièce très appropriée pour une exposition.

— Non, c'est trop…trop ordinaire. Je veux que mon oeuvre reflète mon engagement.

Alice se mord les lèvres et je sais qu'elle craint que Mme Boulet lui interdise de travailler à sa borne-fontaine. Personnellement, je me demande en quoi une borne-fontaine peut refléter une engagement et je crois que Mme Boulet se demande la même chose.

— Très bien, dit-elle en guise de conclusion.

Puis elle me consacre son attention.

— Claudia, c'est superbe, s'exclame-t-elle en examinant la main que je suis en train de sculpter. Le produit achevé devrait être excellent.

— Oh, ce n'est pas mon projet pour l'exposition. Je n'ai pas encore décidé ce que je ferai.

— Tu ferais mieux de te décider et vite, dit-elle gentiment. Mais j'aime beaucoup cette main; pourquoi ne pas la présenter ?

— Moi aussi je…je veux refléter mon engagement, dis-je en regardant Alice.

Mon mentor me sourit. Je sais qu'elle est heureuse de voir que j'écoute ses conseils.

— C'est comme tu veux, Claudia, dit Mme Boulet en se dirigeant vers la table d'Isabelle Dubord.

— Je suis fière de toi, murmure Alice.

— Vraiment ? dis-je, rayonnante de joie.

— Oui. Tu sais ce que je voulais te dire ce matin lorsque nous avons été interrompues par tes...amies, c'est que si tu ne veux pas sculpter un objet inanimé, tu pourrais sculpter un concept.

— Un quoi ?

— Un concept, une idée. Par exemple, le thème de la paix dans le monde ou de l'amour.

— Je...

Je ne sais vraiment pas comment je pourrais faire cela et je sais encore moins comment l'avouer à Alice.

— Je ne sais pas quoi dire. Ton idée me laisse...muette d'admiration.

— Je crois sincèrement que tu devrais l'essayer, dit Alice en riant. Quelqu'un qui peut comprendre le pouvoir qui réside dans des feux de signalisation est certainement capable de créer une brillante représentation visuelle d'un concept.

— C'est vrai. Euh, dis donc, comment sculpterais-tu l'amour ?

— Avec des courbes douces et empreintes de tendresse.

Ouis...ça ne m'avance pas beaucoup.

— Je vais y réfléchir, dis-je en me remettant à façonner ma main.

En fait, ce à quoi je dois réfléchir, c'est comment dire à Alice que je ne peux pas sculpter un objet inanimé ou une idée, et ce, sans avoir l'air trop stupide.

— Claudia ? Est-ce que tu aimerais venir chez moi un de ces jours ? Je pourrais te montrer les sculptures auxquelles je travaille à la maison. Tu verrais aussi le studio que mes parents sont en train d'aménager pour moi. Il est au grenier et on a percé des fenêtres supplémentaires pour faire entrer toute la lumière possible. Je vais avoir mon propre studio, comme les grands artistes.

— Oh ! Bien sûr que j'irai. J'aimerais bien voir tout ce que tu fais.

Mes doutes font place à l'excitation. Alice est une artiste douée et elle m'aime et m'apprécie. Que peut-on désirer de plus chez une amie ?

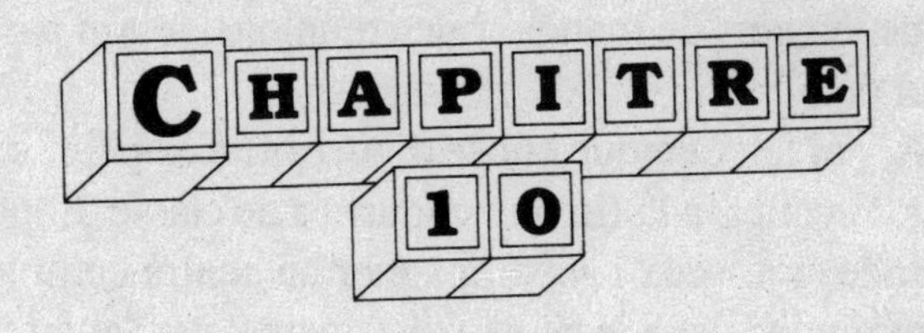

Alors, mademoiselle l'artiste, combien de réunions as-tu l'intention de manquer? Combien d'après-midi de magasinage as-tu l'intention de laisser tomber? J'aimerais bien que tu me dises si le mot amitié signifie quelque chose pour toi. Pour moi, une amie, c'est quelqu'un qui respecte ses engagements, qui s'informe des autres de temps en temps et qui dîne avec ses compagnes. Surtout, c'est quelqu'un qui ne ment pas et qui n'oublie pas ses vieilles amies juste parce qu'une nouvelle venue entre en scène. Je crois que tu n'es plus intéressée par mon amitié.

Le moins qu'on puisse dire, c'est que Sophie sait comment s'y prendre pour vous culpabiliser. Peut-être que si j'avais lu le Journal de bord plus tôt, les choses ne se seraient pas détériorées à ce point entre nous toutes. Mais voyez-vous, en plus de manquer des réunions, je n'ai pas lu le Journal de bord.

De plus, j'ai fait quelque chose d'horrible à Sophie, sans le vouloir. En effet, à la fin d'une journée de classe, Sophie me demande si je veux l'accompagner au centre commercial. Je lui réponds que je ne peux pas parce que j'ai du rattrapage à faire en français. C'est vrai, j'avais réellement l'intention d'aller travailler à la bibliothèque, mais en m'y rendant, j'ai rencontré Alice qui m'a invitée chez elle. Et comme je devais discuter de mon projet de sculpture avec elle, j'ai décidé d'accepter son invitation et j'ai complètement oublié Sophie. En fait, quand j'ai appelé Diane pour lui dire que je ne n'assisterais pas à la réunion de l'après-midi, je lui ai même dit pourquoi.

Toute une gaffe ! (Enfin, l'une des grosses que j'ai commises dernièrement.)

Laissez-moi vous dire que ça ne me réjouit pas de manquer autant de réunions et de négliger mes amies. Toutefois, c'est merveilleux d'avoir un mentor qui apprécie mon travail et qui ne cesse de me dire que j'ai des aptitudes artistiques. Quand on est dernière de classe comme moi, les enseignants, les conseillers pédagogiques et vos parents se servent du terme « aptitudes » pour décrire ce que vous n'avez pas.

Mais je m'écarte du sujet. La réunion suivante du Club des baby-sitters, une autre où je brille par mon absence, commence comme d'habitude quand mes amies arrivent à la maison et sont accueillies par Mimi qui leur dit de monter à ma chambre, même si je n'y suis pas. Elle sait que le Club est vraiment important et elle adore mes amies.

J'ai appelé Diane vers dix-sept heures et celle-ci m'a paru très réservée. J'aurais cru que cela lui faisait plaisir d'être vice-présidente au lieu de simple suppléante officielle. Mais elle n'est pas tellement excitée à l'idée de me remplacer une fois de plus.

Elle et Christine arrivent les premières et courent jusqu'à ma chambre. Puis c'est au tour de Sophie. Debout dans l'embrasure de la porte, elle regarde Diane, vautrée sur le lit et Christine, en train de lire le Journal de bord.

— Bon, où est-elle ?

— Tu veux dire Claudia ? demande Diane.

— Qui d'autre ?

— Elle est chez Alice.

— Chez Alice ! ! s'écrie Sophie, le visage cramoisi. Quelle menteuse ! En es-tu certaine ? Elle m'a dit qu'elle ne pouvait venir avec moi au centre commercial parce qu'elle devait étudier à la bibliothèque.

— Tu n'es pas sérieuse ? dit Christine.

— Je suis très sérieuse, réplique Sophie.

Tremblante de colère, elle arrache le Journal des mains de Christine et commence à écrire son discours sur l'amitié.

Anne-Marie arrive à dix-sept heures trente pile.

— Salut les...Ne me dites pas qu'elle est encore absente !

— Excellente déduction mon cher Watson, de dire Christine.

— Hé, ne te moque pas de moi, rétorque Anne-Marie en se défendant pour une fois. Ce n'est pas moi qui manque les réunions et qui arrive en retard.

— Excuse-moi, dit Christine d'un ton contrit.

— Vous savez ce que j'ai envie de faire ? annonce Sophie en mettant le Journal de côté. J'ai envie de faire une razzia dans les provisions de Claudia. Ça lui apprendra.

— Mais tu ne peux pas manger la camelote alimentaire que garde Claudia, s'exclame Diane.

— Je peux manger certaines choses comme les bretzels et les biscuits. Et je sais où ils sont cachés.

— Je ne suis pas du tout contre l'idée de jouer un petit tour à Claudia, déclare Christine en esquissant un large sourire. Voyons voir. Je crois qu'elle a des guimauves dans cette boîte à souliers et des bâtons de réglisse sous son matelas.

— Je vais même vous aider à en manger, annonce Diane qui fait là un grand sacrifice.

— Et vous savez quoi ? Lorsque nous aurons terminé, nous cacherons ce qui reste dans des endroits inhabituels, suggère Anne-Marie.

Toutes fières de leur idée diabolique, elles se mettent à glousser mais doivent se calmer quand la sonnerie du téléphone retentit. Lorsqu'elles ont réglé les affaires urgentes, Sophie entreprend de piller mes cachettes de friandises. Elle lance les bâtons de réglisse à Anne-Marie, les guimauves à Christine, les bretzels à Diane et garde les biscuits pour elle.

— Maintenant, organisons une petite chasse aux trésors, dit Sophie quand elles ont fini de se gaver.

Tout en se tordant de rire, elles passent aux actes : Anne-Marie cache ce qui reste de guimauves dans une vieille espadrille et Christine jette la réglisse au fond d'un tiroir.

Diane fourre les biscuits dans un vieux sac à main que je n'utilise plus, tandis que Sophie camoufle le sac de bretzels sous un chapeau de feutre mou, sur la dernière tablette de ma garde-robe.

(Ce soir là, j'èn ai eu pour près d'une heure à retrouver toutes mes affaires. Il me manque encore un sac de croustilles, mais personne ne veut me dire si elles y sont pour quelque chose.)

Elles sont interrompues quelques instants lorsque Mme Seguin téléphone pour avoir une gardienne pour Myriam et Gabrielle et que Mme Demontigny demande quelqu'un pour garder Amanda et Maxime.

Aussitôt qu'elles en ont terminé avec ces appels, elles décident de mettre mon lit en portefeuille. Ce que j'étais furieuse quand j'ai découvert ce qu'elles avaient fait. Comme j'avais travaillé très tard pour me rattraper dans mon travail scolaire et lire quelques chapitres de mon livre pour le cours de français, j'étais morte de fatigue et c'est à peine si j'avais la force de soulever mon édredon. Alors imaginez ma surprise quand en me glissant entre les draps, je ne parviens pas à déplier les jambes. Finalement, j'enlève l'édredon et je découvre, épinglé sur les draps, un petit billet qui se lisait comme suit : Fais de beaux rêves ! Ha ! Ha !

Mais ce n'est pas le seul billet que j'ai trouvé car pendant que Christine et Anne-Marie mettaient mon lit en portefeuille, Sophie et Diane ont eu la brillante idée de m'écrire des petits mots plutôt mesquins et de les cacher un peu partout dans ma chambre. C'est ainsi que j'ai trouvé sous mon oreiller un petit poème rédigé par Sophie :

Alice, la grande artiste
Claudia, la traître
Quelle paire d'opportunistes
Que je voudrais voir disparaître !

Diane, elle, m'a laissé un billet dans mon coffre à bijoux et Christine a même eu l'idée d'épingler un bout de papier vierge sur ma poupée de chiffon.

— Pourquoi ? demande Sophie.

— Pour la rendre folle. Elle va se demander si nous avons utilisé de l'encre invisible ou si ce que nous avons écrit était tellement méchant que nous avons décidé de l'effacer.

Sophie éclate de rire, mais doit reprendre son sérieux quand le téléphone sonne de nouveau. C'est un nouveau client. Elle prend les renseignements d'usage puis le rappelle pour lui donner le nom de celle qui ira garder ses jumelles.

— Pourquoi, à votre avis, Alice Riopelle tient tant à ce que Claudia soit son amie ? demande-t-elle sérieusement après avoir raccroché.

— Qu'est-ce que tu veux dire ? demande Anne-Marie. Elle veut simplement avoir une amie, non ? Elle est nouvelle ici et ne connaît personne.

— Ce que je veux dire, c'est pourquoi seulement Claudia ? On dirait qu'elle ne veut pas se faire d'autres amis que Claudia.

— C'est vrai, répond lentement Diane. Je comprends où tu veux en venir, Sophie. Lorsque je suis arrivée à Nouville, j'avais hâte de me faire des amis. J'étais heureuse de rencontrer Anne-Marie, mais je ne voulais pas avoir une seule amie. C'est pour cette raison que j'étais contente de rencontrer les autres membres du Club.

— C'est exactement ce que j'ai vécu en arrivant de Toronto. J'ai rencontré Claudia d'abord et c'est toujours ma meilleure amie...du moins, je l'espère. Mais j'étais heureuse de vous connaître vous aussi, et Pierre et Hugues et Arianne et tous ceux avec qui nous mangions l'année dernière. Mais Alice ne semble pas intéressée à se lier d'amitié avec quiconque, sauf Claudia.

— C'est vrai. Elle ne nous adresse même pas la parole, ajoute Diane.

— Elle ne s'intéresse à personne d'autre et ne parle à personne d'autre que Claudia. Si elle ne dînait pas avec Claudia, je suis certaine qu'elle mangerait seule.

— Alice est dans mon cours d'éducation physique, dit Anne-Marie. Elle est toujours seule dans son coin. Vous savez, je crois que tout ce qui intéresse Alice, ce sont les arts et elle a trouvé en Claudia une bonne artiste. On dirait que Claudia représente une sorte de projet pour Alice...Oh, je m'explique mal.

— Au contraire, Anne-Marie. Nous comprenons très bien, réplique Sophie. Ce que tu veux dire, c'est qu'Alice aime Claudia pour ses talents d'artiste et non pour Claudia elle-même. Et si c'est vraiment le cas, je me demande jusqu'à quel point Alice Riopelle est une véritable amie.

— Oups ! fait Jérôme Robitaille.

Voilà qui est mauvais signe quand Jérôme dit « Oups ! » ou « Ho ! Ho ! ».

Je n'ai pas tellement gardé ces derniers temps. Comme j'ai manqué plusieurs réunions, je n'ai pas eu beaucoup d'engagements. Mais j'avais accepté cette garde chez les Robitaille depuis quelque temps déjà et, pour dire la vérité, j'avais hâte. Jérôme est peut-être enclin aux accidents, mais quand sa mère arrive à la maison et découvre quelque chose de brisé, un dégât sur la moquette ou un diachylon sur un doigt ou un genou de Jérôme, elle ne dit rien. Naturellement, elle s'inquiète quand Jérôme se blesse, mais elle ne blâme jamais les gardiennes. Elle connaît bien son fils.

De plus, Jérôme possède un petit quelque chose qui me fait toujours sourire malgré moi. Je ne sais pas si ce sont ses taches de rousseur, sa tignasse rousse ou son sourire où il manque une dent, mais je ne peux pas le gronder même s'il me tend un jouet qu'il vient de briser ou qu'il confesse avoir accidentellement renversé de la colle sur le téléphone.

Donc, en entendant ce « Oups ! », je m'inquiète un peu car je sais que je vais être confrontée à un problème quelconque. Je suis dans la cuisine en train de rincer la vaisselle après le goûter des garçons et en fermant le robinet, j'entends l'aspirateur qui émet de drôles de gémissements.

— Jérôme ? Augustin ? Stéphane ?

— Euh, nous sommes dans la salle à manger, répond Stéphane.

J'y cours aussitôt et je trouve Jérôme, un oeil collé sur l'orifice du tuyau de l'aspirateur tandis que Stéphane et Augustin le regardent, affichant un air coupable. Les trois sont nu-pieds et leurs souliers sont alignés sous la table.

— Que se passe-t-il ici ? dis-je en essayant de ne pas paraître trop exaspérée.

— Nous avons fait une expérience et tu sais quoi ? On peut aspirer des bas.

— Des bas ? Est-ce que tous vos bas sont dans l'aspirateur ?

— Tous les six. Trois paires font six bas, annonce fièrement Augustin.

— Nous ne voulions pas tous les aspirer. Il étaient empilés les uns sur les autres et nous pensions que l'aspirateur en prendrait juste un. Mais ils ont tous été aspirés l'un après l'autre. Voum ! Voum ! Voum ! Voum ! Voum ! Voum ! fait Stéphane en mimant la scène avec de grands gestes.

— Vraiment Stéphane, tu es le plus vieux, dis-je, sachant très bien que ça n'a aucun rapport.

— C'est Jérôme qui a eu cette idée, réplique-t-il.

— Et qu'est-ce que tu avais l'intention de faire avec tes bas s'ils étaient aspirés ? dis-je à Jérôme.

— Je voulais découvrir ce qui leur était arrivé, répond-il simplement.

— D'accord, dis-je en soupirant. Il ne reste plus qu'à trouver les bas.

— Hourra ! crie Jérôme en sautant sur place. Je me demande de quoi ils auront l'air.

— Peut-être que le monstre de l'aspirateur les a mangés, suggère Augustin.

Au lieu de demander à Augustin ce qu'est le monstre de l'aspirateur, je soulève le couvercle, sors le sac et me dirige vers la cuisine, les trois garçons sur mes talons.

— Qu'est-ce que tu vas faire ? demande Jérôme.

— Je vais l'ouvrir et voir ce qu'il y a à l'intérieur.

Je coupe le sac poussiéreux et je regarde à l'intérieur. Rien.

— Berk ! fait Jérôme en éternuant.

Je jette le sac et je retourne à l'aspirateur. Je constate que les garçons n'ont pas mis d'accessoire au bout du tuyau; j'insère alors mes doigts dedans et j'en ressors un bas tout chiffonné, au grand étonnement des petits Robitaille.

— Toute une expérience, fait Stéphane.

— Je me demande pourquoi le monstre de l'aspirateur ne les a pas dévorés, dit Augustin.

Après quinze minutes de tâtonnement à l'aide de pinces à barbecue, je finis par retirer tous les bas du tuyau.

— Voulez-vous me promettre une chose ? dis-je aux garçons tandis qu'ils remettent leurs bas et leurs souliers.

— Quoi ? demande Jérôme.

— Vous n'utiliserez plus l'aspirateur sans d'abord me demander la permission.

— Promis ! répliquent-ils en choeur.

— Merci. Maintenant, si on faisait quelque chose d'amusant ?

— Regarder *Passe-Partout*, suggère Augustin.

— Vous n'avez pas plutôt envie de jouer à quelque chose ?

— Feu rouge-Feu vert ! crie Jérôme. S'il te plaît, Claudia.

— Bien...dis-je en me rappelant ma promesse de ne plus jouer à des jeux stupides sur le parterre des Robitaille.

— Oui, oui ! Je peux faire l'agent, Claudia ? demande Augustin.

Sans attendre ma réponse, les garçons se ruent vers la porte d'entrée. Je leur emboîte donc le pas. Après tout, c'est ma responsabilité en tant que gardienne de les amuser.

Jérôme ouvre la porte et reste figé en apercevant Alice qui s'apprêtait à sonner. Mais il se ressaisit vite et se met à sautiller sur place.

— Salut ! On va jouer à Feu rouge-Feu vert. Tu viens avec nous ?

Sur ce, il se faufile entre Alice et la porte et saute en bas des trois marches du perron.

— C'est moi l'agent de la circulation ! C'est moi ! crie Augustin en le suivant.

— Oui, mais c'est Claudia le meilleur agent de circulation, ajoute Stéphane en sautant lui aussi directement en bas du perron.

Je sors en fermant la porte derrière moi, tandis qu'Alice me dévisage en fronçant les sourcils.

— Feu rouge-Feu vert, encore ?

— Ils adorent ce jeu, dis-je en m'efforçant de rire.

— Je ne comprends pas que tu puisses perdre ton temps avec tout…tout ça, dit-elle en faisant un geste de la main vers les garçons qui se mettent en place pour le jeu.

— Tout quoi ? dis-je d'un ton irrité.

— Toutes ces futilités.

— Ce sont des enfants, dis-je doucement et ils sont importants pour moi.

— Oh, ce que tu peux être sentimentale, raille Alice.

— Tu apprendras que les artistes ont des sentiments et que ce sont ces sentiments qu'ils expriment dans leurs oeuvres.

Alice ne répond pas et je me rends compte que c'est la première fois que j'exprime franchement mon opinion au sujet de l'art.

— De plus, qui a dit qu'elle sculpterait 'l'amour' avec des courbes douces et empreintes de tendresse ? C'est de la sentimentalité à la guimauve, si tu veux mon avis.

— De la sentimentalité à la guimauve ? !

— Exactement !

— C'est ainsi que tu me remercies pour…

— Pour quoi, Alice ? Pourquoi devrais-je te remercier ? Qu'est-ce que tu as fait qu'une véritable amie n'aurait pas fait ?

— Je t'ai enseigné la sculpture. Je t'ai montré à élargir ta vision pour que tu puisses aller au-delà des formes et des couleurs. Pour que tu puisses capter l'essence même des choses.

— Et tu crois que tu es en droit d'attendre quelque chose en retour ? Je ne te dois rien, Alice. Ce n'est pas ça l'amitié. L'amitié, c'est un sentiment réciproque d'affection qui ne repose pas sur les dettes que l'on peut avoir l'une envers l'autre, dis-je sans hausser le ton.

Je suis furieuse, mais je ne veux surtout pas bouleverser les petits en faisant une scène devant eux.

— Je t'aime bien, tu sais, réplique Alice et, pour la première fois depuis que je la connais, j'ai l'impression qu'elle n'est pas tout à fait maîtresse d'elle-même. Je veux que tu sois mon amie, ajoute-t-elle d'une voix tremblante, les yeux pleins d'eau.

— Mais tu veux que je consacre toute ma vie à l'art et ce n'est pas juste. Tu ne devrais pas poser de conditions à notre amitié. Il y a autre chose dans ma vie que toi et les arts et je n'ai pas l'intention de tout abandonner.

Alice reprend vite son sang-froid.

— Tu veux dire que tu n'abandonneras rien juste pour moi. Je ne compte pas assez pour toi, c'est ça ? Eh bien, laisse-moi te dire, Claudia Kishi, que tu n'es qu'une ingrate et une sotte et que tu ne connais rien à l'amitié !

Sur ce, Alice virevolte brusquement, descend les marches et traverse la pelouse d'un pas saccadé. Seule sur le perron, je me sens vide soudain et au fur et à mesure que les minutes passent, les remords m'assaillent.

C'est vrai, je n'ai pas été une bonne amie. Du moins pas pour Sophie ni pour les autres membres du Club.

Tout le monde doit me détester.

J'aimerais bien me confier à Sophie, mais je doute qu'elle veuille me parler.

— Les garçons ! On rentre. Il va pleuvoir.

Sans trop maugréer, ils rentrent dans la maison et je les installe devant la télévision. Puis, je vais m'asseoir seule au salon. J'ai besoin de réfléchir quelques instants. Mais qu'est-ce qui m'est arrivé au cours des dernières semaines ? Sans trop savoir comment, je me suis laissé accaparer par Alice. Est-ce qu'il me reste d'autres amies, maintenant ? Avant l'entrée en scène d'Alice, j'appelais Sophie chaque fois que quelque chose n'allait pas. Mais aujourd'hui, c'est impossible. Et que vais-je faire au sujet de l'exposition ? Mme Boulet s'attend à ce que je présente un projet. J'ai dit à mes parents que j'allais participer et je n'ai même pas encore trouvé de sujet pour ma sculpture.

— Claudia ?

Jérôme vient interrompre mes sombres réflexions en me tendant une espadrille dont les lacets sont tout emmêlés.

— Peux-tu m'aider ? demande-t-il.

— Bien sûr.

En travaillant à défaire le noeud, il me vient une idée : Jérôme ! Je vais sculpter Jérôme. Il fera un merveilleux sujet, certainement beaucoup plus intéressant à sculpter que des feux de signalisation.

Je lève la tête et je souris à mon petit modèle qui me répond par un sourire rayonnant où manque toujours une dent.

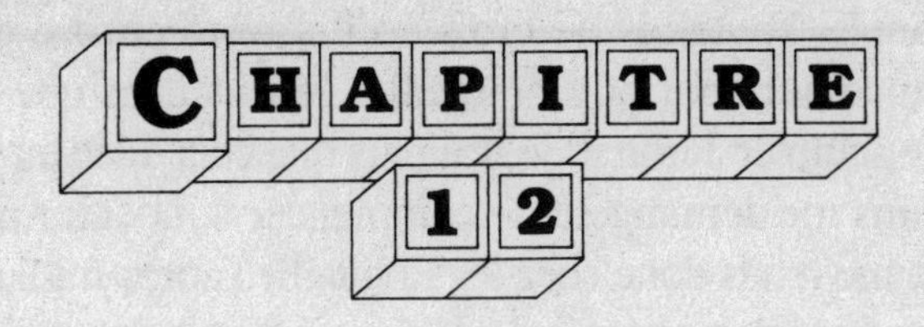

Quel après-midi intéressant ! Je gardais chez les Robitaille quand Claudia est arrivée à l'improviste. Je suis certaine qu'elle ne s'attendait pas à me trouver là. (Après tout, quand a-t-elle pris le temps de jeter un coup d'oeil à l'agenda ou au journal de bord ?) Claudia s'est efforcée de cacher sa surprise quand j'ai ouvert la porte et moi, j'ai essayé de ne pas montrer que j'étais contrariée. Nous avons assez bien réussi. De toute façon, il s'avère qu'elle veut sculpter Jérôme. Elle venait tout juste de commencer à faire des croquis quand la sonnette a retenti de nouveau. Cette fois, c'était Alice. Je crois qu'elles s'étaient querellées. Puis, elles ont eu une autre discussion devant Jérôme et moi. Tout devenait de plus en plus dificile à comprendre. Heureusement, Claudia m'a tout raconté car je serais morte de curiosité.

Anne-Marie a bien raison en écrivant « Quel après-midi intéressant ! » Toutefois, je crois qu'il s'avère encore plus intéressant pour moi que pour elle. Maintenant que j'ai décidé de sculpter Jérôme, je n'ai plus que cette idée en tête et les mains me démangent de commencer à modeler mon projet. Je me rends donc chez les Robitaille l'après-midi suivant pour faire des croquis de Jérôme à partir desquels je pourrai travailler, puisque Jérôme ne pourra pas poser pour moi pendant des heures. Je veux aussi demander à Mme Robitaille si elle a des objections à ce que je fasse une sculpture de son fils et naturellement je dois savoir si Jérôme accepte de me servir de modèle.

Imaginez ma surprise quand Anne-Marie vient m'ouvrir. Je ne m'attendais pas du tout à trouver une membre du Club.

— Claudia ! s'exclame Anne-Marie en me voyant.

— Oh ! dis-je, bouche bée. Salut !

— Est-ce que tu es censée garder ? demande Anne-Marie, légèrement perplexe.

— Non, non. Je viens faire des croquis de Jérôme, dis-je en lui montrant mon bloc à dessins. Je veux le sculpter et je dois d'abord le dessiner. Et je veux aussi lui demander s'il est d'accord.

— Bon, dit lentement Anne-Marie. Mme Robitaille est sortie, comme tu dois t'en douter, mais Jérôme est bien là.

— C'est encore une de ses mauvaises journées ? dis-je en souriant.

— Disons que oui. Il ne l'a pas fait exprès, mais il a réussi à répandre du vernis à ongles sur ses bas.

— Sur ses bas ! Mais qu'est-ce que c'est que cette manie avec les bas ?

— Comment ?

— Laisse faire, c'est une longue histoire. Comment a-t-il pu mettre du vernis à ongles sur ses bas ?

— Ça aussi c'est une longue histoire. Entre donc.

— Salut, Claudia ! crie Jérôme en me voyant. Je suis tout seul aujourd'hui. Stéphane est à son cours de piano et Augustin, à son cours de natation.

— Et toi, tu ne suis pas de cours ?

— Oui, mais je brise trop de choses. C'est ce que Mme Schiavone a dit.

— Qui est Mme Schiavone ? demande Anne-Marie en échangeant un regard avec moi.

— C'est le professeur de piano. Stéphane a le droit d'aller chez elle parce qu'il ne casse pas son métronome, ni son parapluie ni sa sonnette d'entrée.

— Comment as-tu cassé la sonnette d'entrée ? demande Anne-Marie, intriguée.

— Je ne sais pas au juste, déclare Jérôme en fronçant les sourcils, mais c'est certain qu'elle est brisée. Avant, elle jouait une petite mélodie, mais maintenant elle fait juste « dong, dong, dong ».

Je m'efforce de garder mon sérieux car Jérôme est très malheureux de cette situation et il ne prend pas ses « accidents » à la légère. Anne-Marie aussi essaie de ne pas sourire.

— Jérôme, Claudia est venue ici parce qu'elle a quelque chose à te demander, dit Anne-Marie.

— Quoi ?

Je lui fais signe de venir s'asseoir avec moi sur le canapé et je lui parle de la sculpture, des croquis et de l'exposition.

— Tu veux faire une statue de moi ! s'exclame-t-il quand j'ai terminé mes explications.

— Presque, sauf que je ne vais sculpter que ta tête.

— Ma tête ? Est-ce que ça va faire mal ?

— Mais non ! Je ne te toucherai même pas.

— Et je vais être dans une exposition où tout le monde me verra ?

— Oui, mon ami.

— Ça alors ! Ça alors ! répète Jérôme qui ne sait que dire d'autre.

— Est-ce que tu voudrais qu'on commence tout de suite ? Il faut que je fasse des dessins de ta tête.

Jérôme regarde Anne-Marie d'un air interrogateur.

— Moi je n'ai aucune objection, répond-elle.

J'installe donc Jérôme à une extrémité du canapé, devant moi, puis je commence à dessiner. Au début, il reste immobile, sans sourire et sans même cligner des yeux.

— Détends-toi un peu, Jérôme. Tu peux bouger si tu veux.

— Est-ce que ce serait une bonne chose de lui donner un cahier à colorier ? demande Anne-Marie.

— C'est une excellente idée ! dis-je.

Pendant que je fais mes croquis, Anne-Marie se contente d'observer en silence. Puis, après ce qui me semble une éternité, elle me demande des nouvelles d'Alice.

— Je crois qu'elle va bien, dis-je en haussant les épaules.

Anne-Marie commence alors à gigoter et à prendre de grandes respirations. Cela signifie qu'elle se prépare à dire quelque chose d'important.

— Hum, Claudia ? Je me demandais si Alice est actuellement ta meilleure amie.

— Certainement pas.

— Ah non ? Mais je pensais que...

— Moi aussi, je pensais que nous étions amies, dis-je en l'interrompant. Je croyais que personne ne me comprenait comme Alice, mais j'avais tort. Tu sais, hier j'aurais tellement voulu parler à Sophie. Elle et vous toutes aussi, vous me comprenez mais pas de la même façon qu'Alice. D'ailleurs, Sophie est probablement fâchée contre moi, elle aussi.

— Elle aussi ?

— Oui, dis-je sans rien ajouter d'autre. Je n'ai pas envie de raconter ma dispute avec Alice.

— Claudia ? dit soudain Jérôme. Vous êtes fâchées, toi et la fille qui porte des robes longues ?

— Disons que nous avons eu un différend.

— Maman dit que quand on est fâché contre quelqu'un, il faut lui dire pourquoi. Est-ce que tu lui as dit pourquoi tu étais fâchée ?

— J'ai essayé.

— Eh bien, tu sais ce qui arrive quand tu le dis ? L'autre personne te dit pourquoi elle est fâchée elle aussi, et tu lui répond quelque chose et l'autre dit quelque chose et alors...

— Et alors ?

— Alors, c'est bizarre, mais souvent, tu es plus fâché qu'avant.

Je souris à Jérôme et il hausse les épaules.

Sur ces entrefaites, on sonne à la porte et Anne-Marie va ouvrir. Elle revient quelques secondes plus tard, l'air très contrariée, suivie d'Alice. Anne-Marie ne prononce aucun mot. Elle reste debout, les bras croisés en nous regardant, Alice et moi à tour de rôle, comme si elle voulait dire : « Bon, qu'est-ce qui se passe ? »

— Alice ! dis-je. Que fais-tu ici ?

— J'ai vu ta bicyclette à l'extérieur et je me suis demandé ce que toi, tu faisais ici. Je ne pouvais pas croire que tu gardais encore. Mais je vois que tu n'es pas venue garder, ajoute-t-elle en se penchant par-dessus mon épaule pour examiner mon dessin.

— Je commence ma sculpture pour l'exposition. Ça devrait te faire plaisir.

— Pas si tu sculptes *ça*, réplique-t-elle sèchement en pointant Jérôme du doigt.

Le visage de mon pauvre Jérôme s'assombrit soudain.

— *Ça*, comme tu dis, c'est un petit garçon qui s'appelle Jérôme et qui compte parmi mes meilleurs amis.

Jérôme esquisse un petit sourire prudent.

— Alors, tu as finalement flanché, poursuit Alice comme si elle ne m'avait pas entendue. Tu vas donc sculpter une personne ?

— On ne peut rien te cacher.

— Pourquoi ?

— Parce que je veux sculpter ce que je fais de mieux. Et ce sont les gens que je réussis le mieux, même si j'en ai encore beaucoup à apprendre.

— Ça, tu peux le dire que tu en as encore beaucoup à apprendre, mais ne compte pas sur moi pour te montrer quoi que ce soit, lance-t-elle en se dirigeant vers la porte. Tu sais que tu es en train de ruiner ta carrière, ajoute-t-elle avant de sortir.

— OUF ! laisse échapper Anne-Marie. Elle se prend vraiment au sérieux.

Jérôme me regarde, l'air bouleversé.

— Tout va bien, lui dis-je, ne t'en fais pas.

— Est-ce que tu vas quand même exposer ma tête au concours ? demande-t-il.

— Tu peux en être certain, à la condition que je termine à temps.

— Dis donc, Claudia, tu as su lui tenir tête, dit Anne-Marie qui semble très impressionnée.

— Je suppose que oui. Mais je crois que ça ne changera pas grand-chose. Elle ne comprend pas ce que je lui dis.

— Elle ne veut pas comprendre, me corrige Anne-Marie. Et cela fait toute une différence. Elle sait très bien que tu n'es pas d'accord avec elle.

Je hoche la tête pensivement.

— Est-ce que tu seras à la prochaine réunion du Club ? demande Anne-Marie sur un ton prudent.

— Oui, mais pas à celle d'aujourd'hui parce que je suis en retard dans tous mes travaux et aussi parce que j'ai échoué le dernier contrôle d'orthographe. De plus, il y a un projet de lecture que je n'ai pas encore commencé. Je vais donc ouvrir mes livres, si tu vois ce que je veux dire.

— Tu ne pourrais pas revenir de la bibliothèque pour dix-sept heures trente ?

— Probablement, mais...pas aujourd'hui.

La vérité, c'est que j'ai l'impression que je ne serai pas la bienvenue, même dans ma propre chambre.

— D'accord, dit Anne-Marie. J'en ferai part aux autres.

— Bon, et moi j'ai assez de croquis pour l'instant. Merci, Jérôme.

Je n'ai plus une minute à perdre. J'ai beaucoup de pain sur la planche. Et quand je dis beaucoup, je n'exagère pas.

La meilleure chose à faire quand on est débordée, c'est de dresser une liste. Ainsi, on peut rayer les tâches énumérées au fur et à mesure qu'on s'en acquitte. C'est aussi un bonne façon de ne rien oublier. Donc, après le souper, je monte directement à ma chambre pour dresser une liste de listes. Voilà qui démontre jusqu'à quel point je suis en retard dans tout.

Voici ma première liste :

Liste des listes de choses à faire :

1. *Amies*
2. *Travail scolaire*
3. *Concours de sculpture*

Et ma deuxième liste :

Amies :

1. *Appeler Alice et essayer de m'expliquer.*
2. *Appeler Sophie et m'excuser.*
3. *Appeler Christine, m'excuser et lui dire que je serai à la prochaine réunion.*

Et ma troisième liste :

Travail scolaire :

1. *Demander à Mme Hétu si je peux reprendre le contrôle d'orthographe.*
2. *RETOURNER À LA BIBLIOTHÈQUE ! ! ! et travailler au projet d'histoire sur la révolte des Métis.*
3. *Terminer La fille à la mini-moto.*
4. *Commencer Des bleus et des bosses.*

Et ma dernière liste :

Concours de sculpture :

1. *Déterminer combien de temps il me faudra pour faire ma nouvelle sculpture.*
2. *Parler à Mme Boulet ?*
3. *Parler à Papa et Maman ?*

Quand j'ai terminé, je m'assois sur mon lit et j'examine toutes mes listes. Je jette alors la première puisque j'ai dressé les trois autres. J'ai l'impression d'être très organisée...et je me sens aussi très stressée. Comment vais-je réussir à tout faire ?

Comme dans ces cas-là, il vaut mieux s'y mettre tout de suite, je décide d'appeler Alice, le numéro 1 sur ma liste intitulée Amies. Je vais fermer la porte de ma chambre, je reviens me pelotonner sur mon lit et je compose le numéro d'Alice.

— Salut, Alice, dis-je. C'est moi.

— Qui ?

— Moi, Claudia.

— Ah !...Je suis très occupée, commence Alice.

— Oui, je sais ce que c'est, dis-je en regardant nerveusement mes listes étalées devant moi. Accorde-moi deux minutes. Je t'appelle pour essayer de t'expliquer quelque chose.

— Quoi ?

— Eh bien, vois-tu, ma vie est bien remplie. Ce que je veux dire, c'est que j'ai mes amis, ma famille, l'école, mes cours d'arts plastiques et de poterie et le Club des baby-sitters. Peut-être qu'un jour je déciderai d'éliminer certaines activités, mais pas maintenant. J'aime essayer de nouvelles choses. J'aime la variété et je suis heureuse quand je suis occupée, même si parfois je le suis trop. Je t'aime bien, Alice, mais je ne peux passer tout mon temps avec toi à faire de la sculpture, même si tu es la personne la plus talentueuse que je connaisse. Est-ce que tu comprends ce que je veux dire ?

— Oui, répond Alice après quelques instants de silence. Je comprends très bien.

Et sur ce, elle me raccroche au nez.

Hébétée, je regarde le récepteur pendant quelques secondes, les larmes au yeux. Alice ne m'aime plus. Elle ne me considère probablement plus comme artiste également. Mais en fin de compte, qu'est-ce que j'ai perdu ? Certainement pas une amie. Une véritable amie aurait écouté et essayé de comprendre. Elle n'aurait pas raccroché comme ça. Alice n'est pas une amie au vrai sens du terme. Elle ne s'intéresse qu'à l'art et comme je ne me montre pas assez sérieuse en tant qu'artiste, eh bien je ne compte plus à ses yeux. Tant pis.

J'espère que ma théorie au sujet des vrais amis qui ne vous coupent pas la ligne au nez est vraie parce que je téléphone maintenant à Sophie. Je ne sais pas ce que je ferai si elle refuse de me parler. Néanmoins, je dois me conformer à ma liste et je compose son numéro.

Sophie répond avant même la fin de la sonnerie. Elle devait être dans sa chambre (elle a aussi un téléphone, mais pas une ligne privée comme moi).

— Salut, Sophie, dis-je timidement.

— Claudia ?

— Oui, c'est moi. Sophie, je t'appelle pour m'excuser. Je sais que je n'ai pas été une très bonne amie ces derniers temps. Je me suis laissé influencer par Alice parce qu'elle a beaucoup de connaissances en art et parce qu'elle m'a dit que j'avais du talent.

Au bout de cinq minutes, j'ai tout expliqué à Sophie et elle n'a pas raccroché.

— Claudia, dit-elle enfin d'un ton mi-badin, mi-sérieux, regarde sous ton oreiller.

Je passe ma main sous mon oreiller et mes doigts se referment sur un bout de papier.

— As-tu trouvé la petite note ? demande Sophie.

— Oui.

— Eh bien, ignore ce qui est écrit et jette-la. Je lis la note qui dit : « Des amies comme toi, on peut s'en passer ! » et je la jette tout de suite.

— C'est toi qui as écrit ça ?

— Oui, mais je ne le pensais pas vraiment, Claudia. Nous sommes toujours amies. Du moins, je veux toujours être ton amie. Mais je crois que nous avons besoin de mettre certaines choses au point.

— Tu as raison.

Nous convenons donc de trouver un moment pour nous parler face à face. À l'école peut-être, ou avant la prochaine réunion.

Je raye ensuite le point numéro 2 de ma liste et je téléphone à Christine. C'est Karen, la demi-soeur de Christine qui répond.

— Claudia ! C'est terrible ce qui se passe ici. Le fantôme de Ben Marchand a hypnotisé Bou-Bou et...

— Karen, excuse-moi mais je dois absolument parler à Christine. Peux-tu lui demander de venir au téléphone ?

Karen est un peu offusquée de se faire interrompre de la sorte, mais elle va tout de même chercher Christine. Lorsque celle-ci est au bout du fil, je répète mon petit discours et je termine en lui disant que je devrai passer mes heures de dîner au centre de ressources, mais que je serai sans faute à la prochaine réunion.

— Espérons-le, dit-elle sans enthousiasme, comme si elle avait de gros doutes.

— Je serai présente, je te le promets.

— C'est bien.

— Je vais même appeler Diane et lui dire qu'elle redevient la suppléante officielle.

— Entendu.

— Bon, eh bien, au revoir.

— Salut.

Même s'il n'y a pas de quoi sauter de joie, au moins la glace est rompue. En tout cas, je fais mieux d'assister à la prochaine réunion.

— Mme Boulet ?

— Oui, Claudia ?

Le cours vient de prendre fin. Alice a gardé sa place en avant de la classe tandis que je me suis installée au fond, à la dernière table. Les croquis de Jérôme étalés devant moi, j'ai commencé ma sculpture. Quand tout le monde est parti, je demande à Mme Boulet de venir jeter un coup d'oeil à mon travail.

— J'aime beaucoup le sujet que tu as choisi, dit-elle.

— Moi aussi, mais je ne pourrai malheureusement pas terminer pour la date prévue. Il ne reste plus qu'une semaine et j'ai du travail scolaire à rattraper. Vous savez ce qu'en pensent mes parents... Alors, je ne participerai pas à l'exposition. Je vais leur en faire part ce soir. Je vais travailler à cette sculpture pour le cours, mais elle ne sera pas prête pour l'exposition.

— Claudia, je voudrais que tu reconsidères ta décision. Si tu travailles fort, je suis certaine que tu finiras à temps.

— Seulement si je laisse tomber tout le reste et je ne veux pas faire ça.

— D'accord, dit Mme Boulet en hochant la tête. Je respecte ta décision.

— Merci beaucoup !

Ce soir, je parle à mes parents. Bien qu'ils soient surpris de ma décision, ils sont très heureux d'apprendre que je fais passer mes cours avant les arts. Voyez-vous, ils sont obsédés par l'école (ils considèrent que c'est très, TRÈS important).

Je monte ensuite à ma chambre et je m'installe à mon pupitre. Il me reste maintenant à m'attaquer à ma liste de travaux scolaires. Elle est plutôt longue. Toutefois, comme Mme Hétu a accepté de me faire reprendre le contrôle d'orthographe, je peux rayer le premier point. Je ne peux malheureusement en faire autant avec les autres, mais ce n'est pas si mal. J'ai presque terminé *La fille à la mini-moto* et j'ai été à la bibliothèque emprunter *Des bleus et des bosses*. J'ouvre le livre et je lis la première page. Tiens, ça semble intéressant. Je vais peut-être venir à bout de mon travail scolaire plus vite que je ne le croyais après tout.

Et demain, j'assisterai à une réunion du Club des babysitters.

Le lendemain matin, je me prépare un sandwich (événement exceptionnel) et je vais passer l'heure du dîner au centre de ressources. J'ai terminé la lecture de *La fille à la mini-moto* et j'ai apporté mon livre pour qu'un des enseignants m'interroge en vue du contrôle d'orthographe que je dois reprendre. À la fin de l'heure du dîner, je suis fière de moi. J'ai travaillé fort et je suis persuadée d'obtenir une bonne note, du moins une note passable.

Après la classe, je dois m'acquitter d'une tâche désagréable.

Dès mon retour de l'école, j'enfourche ma bicyclette et je me rends chez les Robitaille. Comme je n'ai pas prévenu de ma visite, Mme Robitaille est un peu surprise de me voir.

— Claudia ? Est-ce qu'il y a eu un malentendu ? Je ne...

— Non, non, dis-je. Je dois parler à Jérôme. Est-il revenu de l'école ?

— Oui, il vient juste d'arriver. Entre donc.

— Jérôme, mon chéri, Claudia est ici. Elle veut te voir, crie Mme Robitaille.

Trente secondes plus tard, Jérôme dévale l'escalier quatre à quatre, trébuche sur la dernière marche, heurte une table et fait tomber le vase qui était dessus. Heureusement, le vase atterrit sur le tapis, tout d'une pièce.

— Claudia ! Est-ce que tu vas commencer à sculpter ma tête ? demande-t-il en se relevant, tandis que je replace la potiche sur la table.

— Pas aujourd'hui, dis-je. C'est la raison pour laquelle je voulais te parler. Viens t'asseoir avec moi.

Jérôme traverse le salon en courant et saute sur le canapé, non sans m'accrocher au passage.

— Jérôme, je suis venue te dire que je ne pourrai pas présenter ma sculpture à l'exposition en fin de compte.

À ces mots, Jérôme cesse de battre des pieds et des mains et me regarde, les larmes aux yeux.

— Je ne serai pas dans l'exposition ?

— Non, dis-je, tout en lui expliquant que je n'arriverai pas à temps.

Jérôme ne dit mot et fait semblant d'être absorbé par ses lacets de souliers.

— Toutefois, même si je ne participe pas à l'exposition, je veux toujours sculpter ta tête.

— C'est vrai ?

— Oui. J'ai montré à mon professeur les dessins que j'ai faits de toi et elle les a beaucoup aimés. Elle aussi voudrait que je te sculpte malgré tout.

— Mais pas d'exposition ?

— Pas d'exposition. Veux-tu quand même être mon modèle ?

— Oui, répond-il après quelques secondes d'hésitation.

— Super ! Tu sais, je suis réellement désolée au sujet de l'exposition, mais je tenais à ce que tu saches la vérité.

— Tu sais quoi, Claudia ?

— Quoi ?

— Je t'aime ! dit-il en mettant ses bras autour de mon cou.

Je souris en le serrant contre moi. Je suis heureuse d'avoir été honnête avec lui. Soudain, je me rends compte que je m'ennuie des enfants et que mon travail de gardienne me manque. Seul un enfant est capable de se blottir dans vos bras en vous disant qu'il vous aime alors que vous venez juste de le décevoir.

En sortant de chez les Robitaille, je vais travailler à la bibliothèque publique. À dix-sept heures dix, je ramasse mes papiers et mon cahier et je pédale à toute vitesse jusqu'à la maison. J'arrive dans ma chambre à dix-sept heures trente et une. Les autres sont déjà là. Christine est assise dans mon fauteuil, en train de boire un soda. Anne-Marie et Diane sont étendues sur mon lit et Sophie est perchée sur mon pupitre.

— Salut tout le monde ! Me voilà ! dis-je en me laissant tomber par terre.

— Salut, répondent-elles sans me regarder.

— Est-ce qu'il y a eu des appels ?

— Non.

— Parfait. Nous avons le temps.

Je glisse mon bras sous le lit et je saisis un sac de caramels. Même si je sais qu'il ne contient plus de caramels, je le tends vers mes amies.

— Tout le monde doit en prendre. Même toi, Sophie.

— Mais je ne peux pas...

Je lève la main pour demander le silence, puis je tends le sac à Christine qui pige dedans et en retire un morceau de papier plié. Toutes les autres font de même.

— Bon. Qui a le papier portant le numéro 1 ?

— Moi, dit Diane en le dépliant.

— D'accord, tu lis le tien en premier. Ensuite, celle qui a le numéro 2 lit le sien et ainsi de suite. Vas-y, Diane.

— « Mes amies, lit-elle après s'être éclairci la voix, il y a longtemps, dans une vie antérieure, j'avais quatre bonnes amies. »

Diane s'arrête et regarde autour d'elle pour savoir qui a le papier numéro 2.

— Oh ! fait Sophie, c'est moi. « Puis j'ai rencontré une artiste qui m'a dit qu'elle avait beaucoup de talent et moi de même. »

— « Je l'ai donc suivie ici et là, partout et nulle part, » lit Christine à son tour en gloussant.

— « Mais, poursuit Anne-Marie, elle n'était pas sincère et c'est vous, mes vraies amies, qui m'avez ouvert les yeux ! »

— Vous avez sans doute compris que c'est ma façon de m'excuser, dis-je à la fin. J'ai appris, à mes dépens malheureusement, qui sont mes vraies amies. Je, euh, je me suis ennuyée de vous, les filles. Je me suis ennuyée des réunions et des enfants que je garde. Et j'en ai ras le bol d'entendre parler d'objets inanimés ! Je sais que vous êtes encore fâchées, mais j'espère que nous redeviendrons de bonnes amies.

— Oh, c'est tellement triste et tellement touchant ! s'écrie Anne-Marie avant d'éclater en sanglots.

Devant cette réaction, Christine, elle, éclate de rire.

— De vraies folles, dit Sophie. Nous avons un Club de folles.

— Je ne vous demande pas de me pardonner tout de suite, dis-je. Je sais qu'il faudra du temps…

— Claudia ! Claudia ! lance Sophie, arrête ton discours. Nous te pardonnons.

— C'est vrai ? dis-je.

— C'est vrai ? répète Christine.

— Oui, c'est vrai, répond Sophie d'un ton ferme en regardant Christine.

— Je ne mérite pas d'avoir des amies comme vous. Je suis trop chanceuse, dis-je, moi-même au bord des larmes.

— Voyons, Claudia, gémit Sophie en venant me serrer dans ses bras.

— Hé ! Tu portes un nouveau parfum ? lui dis-je.

— Oui, c'est *Ondée printanière.*

— C'est divin ! Je peux l'essayer ?

Dring ! Dring !

Le téléphone !

— Oh ! Est-ce que je peux répondre ? On dirait que ça fait des siècles que je n'ai pas pris d'appel.

— Vas-y, répond Christine.

— Club des baby-sitters, bonjour ! dis-je en décrochant. Oui…Oui. Bien sûr. Je vous rappelle dans quelques minutes. Au revoir.

— Qui est-ce ? demande Christine.

— Mme Mainville. Elle a besoin d'une gardienne pour Jonathan et Laurence, jeudi soir prochain. Ils seront de retour vers vingt et une heures.

— Laissez-moi vérifier, dit Anne-Marie qui consulte l'Agenda. Tu es disponible, Claudia. Tu veux prendre cet engagement ?

— Oh, oui !

Je rappelle tout de suite Mme Mainville pour lui dire qu'elle peut compter sur moi jeudi prochain et, pendant que je lui parle, j'ai vraiment l'impression de faire partie du Club de nouveau.

— Vous ne pouvez savoir comme c'est bon de vous retrouver, les filles, dis-je en raccrochant.

— Claudia, qu'est-ce qui est arrivé ? demande sérieusement Anne-Marie. Qu'est-ce qui est arrivé avec Alice et le Club et nous toutes ?

— Je crois que je me suis laissé entraîner. Il y a une chose que vous devez comprendre. Il arrive rarement qu'on me complimente ou qu'on me dise que j'ai du talent.

— Nous t'avons toujours dit que tu étais très douée en art, fait remarquer Anne-Marie, froissée.

— Oui, je sais et je vous en suis reconnaissante. Toutefois, vous m'excuserez de vous dire cela : vous ne connaissez pas grand-chose à l'art. Vos commentaires sont très encourageants mais...quand Alice est apparue avec tout son bagage de connaissances et tout son talent, ses appréciations m'ont beaucoup valorisée. Je me suis soudain sentie importante; du moins quand j'étais en sa compagnie. Et j'avais besoin de me sentir ainsi.

Anne-Marie et Sophie hochent la tête doucement.

— Je comprends, murmure Sophie.

— Malheureusement, je me suis rendu compte qu'Alice n'aimait que mon talent. Ce que je veux dire, c'est qu'elle aimait l'artiste en moi. Elle ne s'intéresse à rien en dehors de l'art. Mais ce n'est pas ça l'amitié, n'est-ce pas ? Nous, nous avons toutes des intérêts différents et cela ne nous empêche pas d'être des amies. Vrai ?

— Vrai, répond Sophie.

— Vrai, renchérissent Diane, Christine et Anne-Marie.

— Bon ! Maintenant, passons aux choses sérieuses, annonce soudain Christine. Où est la petite caisse ? Nous avons de l'argent à compter et des cotisations à payer !

Enfin ! me dis-je. Tout est revenu à la normale.

— Oh ! Que c'est énervant ! Que c'est énervant !

— Calme-toi, Claudia. Tu vas faire une crise cardiaque, dit Christine.

Tout le monde est là : mes parents, Mimi, ma soeur Josée et toutes les membres du Club des baby-sitters. Et comme les autres élèves et leurs familles, nous faisons les cent pas devant la nouvelle galerie d'art qui ouvrira officiellement ses portes dans quelques minutes. Mais ce n'est pas l'ouverture de la galerie qui m'énerve. Je suis dans cet état à cause de l'appel que j'ai reçu cet après-midi.

Je rentre de l'école quand Mimi me dit qu'on me demande au téléphone. Imaginez mon étonnement en entendant la voix de Mme Boulet.

— Claudia ?

— Oui... (C'est toujours inquiétant quand un professeur appelle à la maison.)

— Je dois t'avouer quelque chose. Je n'aurais peut-être pas dû faire ce que j'ai fait, mais il est trop tard maintenant. J'ai présenté ta sculpture de Jérôme à l'exposition.

— Quoi ? Mais elle n'est pas terminée ! Elle est à moitié terminée !

— Je sais. Je l'ai inscrite dans la catégorie « Oeuvres en cours ». Elle est splendide, Claudia. Je tenais à ce que tout le monde la voit… Claudia ?

— Oui, je suis là. Je… je ne sais pas quoi dire.

— Ne dis rien. Viens à l'exposition ce soir et amène ta famille. Les prix auront déjà été attribués lorsque la galerie ouvrira ses portes.

Vous comprenez maintenant pourquoi je suis si nerveuse. Je ne m'attends pas à gagner un prix, certainement pas pour une oeuvre en cours. Ce qui m'inquiète, c'est que ma sculpture à moitié achevée va être exposée aux regards… et aux railleries de tous.

Je n'aurais jamais dû le dire à mes amies. Pourquoi ai-je fait ça ? Naturellement, elles ont tenu à venir. Anne-Marie a même demandé à son père de l'accompagner.

Mais ce n'est pas tout. Alice sera sûrement là, elle aussi. Elle ne ratera certainement pas cette occasion de me ridiculiser.

Un murmure dans la foule indique que les portes sont enfin ouvertes et que nous allons pouvoir entrer.

— Je crois que je vais m'évanouir, dis-je à Sophie.

— Mais non, voyons, me rassure-t-elle.

Néanmoins, elle me tend la main et je l'agrippe comme si j'étais en train de me noyer. La nouvelle galerie d'art est magnifique. Les murs sont gris très pâle ou blancs, de manière à mettre en valeur toutes les oeuvres d'art qui sont en montre. Nos sculptures sont là, fièrement exhibées sur des piédestaux blancs. La première salle en compte une vingtaine. Les autres doivent être réparties dans d'autres salles, car Mme Boulet a dit qu'il y avait soixante sculptures en tout.

Sophie et moi commençons à déambuler tranquillement d'une sculpture à l'autre. Certaines sont difficiles à voir parce qu'il y a trop de monde autour, mais nous attendons patiemment que les gens s'éloignent ou nous nous levons sur la pointe des pieds. Je ne veux rien manquer.

— Hé ! Regardez ! C'est Marie Dubois qui a fait cela, s'exclame Diane. Elle est dans mon cours de maths.

— Elle a remporté le troisième prix ! s'écrie Christine.

— C'est très impressionnant, ma chérie, dit Maman. La nouvelle galerie est superbe. Tu dois être fière de compter parmi ses premiers exposants.

Je fais signe que oui de la tête car je suis incapable de parler. Où est donc ma sculpture de Jérôme ? Je n'ai pas encore entendu de moqueries.

Je me retrouve bientôt séparée de ma famille et de mes amies et je continue seule. J'ai fait le tour de la première salle et je n'ai toujours pas vu ma sculpture.

J'entre dans la deuxième salle et j'aperçois un taureau, fait par Jean Deslauriers. Il n'a pas gagné de prix.

Je repère ensuite le cerf d'Isabelle Dubord, qui lui a valu le deuxième prix.

Puis j'arrive ensuite devant un petit groupe de gens. Comme personne ne se tord de rire, ce n'est certainement pas ma sculpture. Je me faufile entre eux et qu'est-ce que je vois ? La borne-fontaine d'Alice, ornée du ruban bleu correspondant au premier prix.

Je reste bouche bée. Alice a vraiment réussi à insuffler de la vie à cette borne-fontaine et les juges semblent avoir reconnu son génie créateur.

— C'est un objet inanimé animé, dit une voix devant moi.

Je lève la tête et j'aperçois Alice. Nos regards se croisent et je lui souris en lui adressant silencieusement mes félicitations.

Elle me fait un signe de tête et me sourit à son tour.

Puis, je m'éloigne. Subitement, je ne suis plus intéressée à trouver ma sculpture. Je me moque qu'on s'en moque. J'aurais peut-être dû écouter Alice après tout. J'aurais peut-être appris quelque chose.

— Claudia ! Viens voir ce que j'ai trouvé, crie soudain Christine tout excitée en m'entraînant dans la troisième salle.

— Quoi ? Qu'est-ce qu'il y a ?

— Regarde !

Là devant moi, se trouve le buste de Jérôme. C'est Christine qui l'a découvert la première. Je remarque que personne ne rit et qu'en plus, un ruban vert est attaché au piédestal.

— Tu as obtenu une mention honorable ! remarque Christine.

— Pour une oeuvre en cours, dis-je, ravie.

— Et tu aurais gagné le premier prix si tu l'avais achevée, dit une voix derrière moi.

Madame Boulet !

— Vous croyez ?

— Les juges ont été très impressionnés, ajoute-t-elle en hochant la tête.

— Il faudra que tu le dises à Jérôme, souligne Christine.

— Tu peux être certaine que je vais lui dire !

La demi-heure qui suit est l'une des plus excitantes que j'aie jamais vécues. Mes parents, Mimi, Josée, Anne-Marie et son père, Diane, Sophie et Christine ne tarissent pas d'éloges sur ma sculpture inachevée. Puis, une photographe du *Journal de Nouville* prend des photos de tous les gagnants et des trois qui ont eu une mention honorable et nous informe qu'un article sur la galerie et sur les exposants paraîtra d'ici quelques jours.

Pendant la soirée, tout le monde ne cesse de me féliciter, même ma soeur Josée qui veut devenir physicienne et qui est toujours dans les nuages.

— Je suis fière de toi, ma Claudia, me dit Mimi en me serrant contre elle.

Le lendemain, je me retrouve à la cafétéria avec mes amies. Anne-Marie et Christine ont choisi le repas chaud, Diane a apporté son lunch santé et Sophie et moi avons acheté un sandwich.

Christine est en train de passer ses commentaires habituels sur la nourriture quand j'aperçois Alice avec son plateau. Elle est seule et se cherche une place pour manger.

Sans réfléchir, je me lève et je vais la retrouver.

— Alice ?

— Oh, Claudia ! fait-elle en se retournant.

— Je me demandais si tu voulais venir t'asseoir avec nous.

— Avec vous ? demande Alice en regardant les membres du Club des baby-sitters qui ont les yeux braqués sur nous.

— Allons, ne te fais pas prier, dis-je.

Je sais parfaitement qu'Alice et moi, nous ne serons jamais de grandes amies et qu'elle ne comprendra jamais mon intérêt pour le Club des baby-sitters. Tout comme moi je ne comprendrai jamais qu'elle ne vive que pour l'art. Mais il faut admettre que nous avons des choses en commun et je crois qu'avec un peu de bonne volonté, nous pourrons entretenir des relations amicales.

Alice finit par accepter, un peu à contrecoeur.

Comme je reprends ma place, Christine me lance un regard réprobateur et je sais pourquoi. L'accoutrement d'Alice est pire que d'habitude. Elle porte une longue veste tricotée par-dessus une chemise encore plus longue, et une jupe complètement dépareillée. Naturellement, elle a ses sempiternelles bottes d'alpiniste.

À peine assise, Alice baisse le nez dans son assiette.

— Savez-vous ce que sent ce rôti de boeuf? demande-t-elle.

— Les espadrilles mouillées et l'onguent pour pied d'athlète ? suggère Christine.

— J'allais dire la térébenthine et l'acrylique, mais je suppose que ça revient au même, répond Alice, en esquissant un petit sourire.

— Probablement, convient Christine.

Sur ce, nous éclatons toutes de rire. Quelques instants plus tard, Alice et moi entamons une discussion sur la sculpture pendant que mes amies écoutent. Puis, mes amies et moi parlons des problèmes que nous avons parfois avec des enfants que nous gardons. Et Alice écoute à son tour.

Lorsque l'heure du dîner est terminée, nous quittons la cafétéria ensemble.

Depuis cette journée, Alice s'assoit parfois avec nous mais le plus souvent, elle mange seule. De toute façon, les choses sont bien ainsi. J'ai retrouvé mes amies... et le Club des baby-sitters.

Quelques notes sur l'auteure

Pendant son adolescence, ANN M. MARTIN a gardé beaucoup d'enfants, à Princeton, au New Jersey. Maintenant, elle ne garde plus que Mouse, son chat, qui vit avec elle dans son appartement de Manhattan, dans le centre de New York.

Elle a publié plusieurs autres livres dans la collection *Le Club des baby-sitters*.

Elle a été directrice de publication de livres pour enfants, après avoir obtenu son diplôme du Smith College.

1

CHRISTINE A UNE IDÉE GÉNIALE

Quatre gardiennes fondent leur club

Ann M. Martin

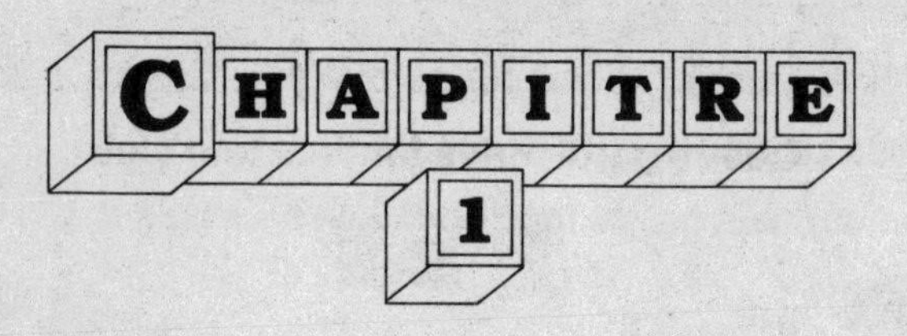

Aujourd'hui, c'est mardi. Je suis à l'école, en cours de sciences sociales, le dernier de la journée. Il fait très chaud. Les fenêtres sont grandes ouvertes. Des abeilles sont entrées et bourdonnent au-dessus de nos têtes. Monsieur Monrouge, notre professeur, nous laisse nous confectionner des éventails en papier. Ce n'est pas très efficace contre la chaleur mais ça éloigne les abeilles. De toute façon, c'est gentil d'interrompre dix minutes le cours.

— Hourra ! m'écrié-je quand la cloche sonne.

J'aime l'école mais je suis contente de sortir enfin. Monsieur Monrouge a l'air choqué. J'aurais dû me contrôler, mais je suis comme ça. Maman dit que je suis trop impulsive.

— Christine, j'aimerais te voir un instant, dit monsieur Monrouge.

Je vais à son bureau. Les autres élèves prennent leurs affaires et quittent la salle au milieu des bavardages et des rires. Je lui présente tout de suite mes excuses. Il vaut mieux.

— Monsieur Monrouge, je regrette. Je n'ai pas crié parce que j'étais contente que le cours soit fini, mais parce que je vais rentrer chez moi et qu'il y a l'air climatisé...

— Je comprends, Christine, mais pourrais-tu à l'avenir observer un peu plus le décorum?

Je ne connais pas le mot « décorum », mais je dis oui. Il vaut mieux.

— Bien. Pour ne pas oublier cet incident, tu vas me rédiger pour demain une composition de 100 mots sur l'importance du décorum en classe.

Anne-Marie m'attend à la porte. Elle est en train de se ronger les ongles, appuyée contre le mur.

Anne-Marie est ma meilleure amie. Nos maisons sont voisines. Nous nous ressemblons un peu. Nous sommes toutes les deux petites pour notre âge et nous avons des cheveux bruns qui nous tombent un peu plus bas que les épaules. Mais la ressemblance s'arrête là parce que, moi, je suis très bavarde et Anne-Marie très calme et très timide. En apparence seulement. Quand on la connaît bien, on sait qu'au fond, elle est très drôle.

— Salut, Anne-Marie. Dis, tu ne pourras jamais te mettre du vernis si tu ronges constamment tes ongles.

— Oh, du vernis à ongles, avec mon père, j'en mettrai quand j'aurai soixante-quinze ans.

Anne-Marie n'a que son père. Sa mère est morte et elle n'a ni frère ni soeur. Son père est très strict. Ma mère dit que

Voici un avant-goût de ce qui se passe dans les autres livres de cette collection :

#1 Christine a une idée géniale

Christine a une idée géniale : elle décide de former le Club des baby-sitters avec ses amies Claudia, Sophie et Anne-Marie. Toutes les quatre adorent les enfants, mais en fondant leur Club, elles n'avaient pas envisagé les appels malicieux, les animaux au comportement étrange et les tout-petits déterminés à s'affirmer. Diriger un Club de baby-sitters n'est pas aussi facile qu'elles l'avaient imaginé, mais Christine et ses amies ne laisseront pas tomber.

#2 De mystérieux appels anonymes

Lorsqu'elle effectue des gardes, Claudia reçoit de mystérieux appels téléphoniques. S'agit-il du Voleur Fantôme dont on parle tant dans la région ? Claudia raffole des histoires à énigmes, mais pas quand elle fait partie de la distribution.

#3 Le problème de Sophie

Pauvre Sophie ! Ses parents se sont mis en tête de trouver une cure miracle pour son diabète. Mais ce faisant, ils lui compliquent l'existence. Et comme le Club des baby-sitters est en guerre contre l'Agence de baby-sitters, comment ses amies peuvent-elles aider Sophie tout en luttant pour la survie du Club ?

#4 *Bien joué Anne-Marie !*

Au sein du Club des baby-sitters, Anne-Marie est plutôt effacée. Et voilà qu'une grosse querelle sépare les quatre amies. En plus de manger seule à la cafétéria, Anne-Marie doit garder un enfant malade sans aucune aide des autres membres du Club. Le temps est venu de prendre les choses en mains !

#5 *Diane et le terrible trio*

Ce n'est pas facile d'être la dernière recrue du Club des baby-sitters. Diane se retrouve avec trois petits monstres sur les bras. De plus, Christine croit que les choses allaient mieux *sans* Diane. Mais qu'à cela ne tienne, Diane n'a pas l'intention de s'en laisser imposer par personne, pas même par Christine.

#6 *Christine et le grand jour*

Le grand jour est enfin arrivé : Christine est demoiselle d'honneur au mariage de sa mère ! Et, comme si ce n'était pas suffisant, elle et les autres membres du Club des baby-sitters doivent garder *quatorze* enfants. Seul le Club des baby-sitters est en mesure de relever un tel défi !

#7 *Cette peste de Josée*

Cet été, le Club des baby-sitters organise une colonie de vacances pour les enfants du voisinage. Claudia est tellement contente ; ça va lui permettre de s'éloigner de sa peste de grande sœur ! Mais sa grand-mère Mimi a une attaque qui la paralyse... et tous les projets d'été sont chambardés.

#8 Les amours de Sophie

Qui veut garder des enfants quand il y a de si beaux garçons alentour ? Sophie et Anne-Marie partent travailler sur une plage du New Jersey et Sophie est obnubilée par un beau sauveteur du nom de Scott. Anne-Marie travaille pour deux... mais comment pourra-t-elle dire à Sophie sans lui briser le cœur que Scott est trop vieux pour elle ?

#9 Diane et le fantôme

Des escaliers qui craquent, des murs qui parlent, un passage secret... il y a sûrement un fantôme chez Diane ! Les gardiennes et un de leurs protégés baignent dans le mystère. Vont-elles réussir à le résoudre ?

#10 Un amoureux pour Anne-Marie

La douce et timide Anne-Marie a grandi... et ses amies ne sont pas les seules à l'avoir remarqué. Louis Brunet est amoureux d'Anne-Marie ! Il est beau comme un cœur et veut se joindre au Club des baby-sitters. La vie du Club n'a jamais été aussi compliquée... ni amusante !

#11 Christine chez les snobs

Christine vient de déménager et les filles du voisinage ne sont pas très sympathiques. En fait... elles sont snobs. Elles tournent tout au ridicule, même le vieux colley Bozo. Christine est enragée. Mais si quelque chose peut venir à bout d'une attaque de pimbêches, c'est bien le Club des baby-sitters. Et c'est ce qu'on va voir !

ACHEVÉ D'IMPRIMER
EN OCTOBRE 1990
SUR LES PRESSES DE
PAYETTE & SIMMS INC.
À SAINT-LAMBERT, P.Q.